Anthony of Boston tarafından yazılan ".
kitabı, mRNA COVID-19 aşılarının
bastırmasına neden olduğunu ve sitom   ....., yeniden
aktif hale gelmesine izin vererek mıyokardit ve Guillain-Barré
sendromu gibi komplikasyonlara yol açtığını açıklıyor. diğer
rahatsızlıkların çoğu. Aşı ile yaralanan birçok kişi, kan pıhtılaşması
ve nörolojik belirtilerle ilgili sorunlar bildirmiştir. Aşıdan bildirilen
diğer olumsuz etkilerden bazıları arasında zona, ağız yaraları,
ellerde ve ayaklarda karıncalanma, kulak çınlaması, düşük tansiyon,
baş dönmesi ve ruh hali değişiklikleri yer alır. Bundan dolayı,
yukarıda belirtilen tüm patolojilerin, CMV reaktivasyonunun bir
sonucu olarak yükselmiş homositin seviyelerine kadar izlenebileceği
sonucuna varılmıştır.

CMV, suçiçeği ve mononükleoza neden olan herpesvirüs ailesinin bir
parçasıdır. Enfeksiyondan sonra, CMV genellikle vücutta uykuda
kalır, ancak aşılar, kan transfüzyonları ve organ nakilleri tarafından
tetiklenebilen immünsüpresyon dönemlerinde yeniden aktif hale
gelebilir. Her üç durumda da, vücudun süreci engellemesini önlemek
için bağışıklık bastırma tetiklenir. Aşılar söz konusu olduğunda,
antijen sunumu ve antikor gelişimi gerçekleşmeden önce antijeni yok
etmemesi için vücudun bağışıklık sisteminin baskılanması gerekir.
Vücut yeterince maruz kalmadan önce bağışıklık sistemi virüsü yok
ederse, antikor gelişimi sınırlanır. Kan transfüzyonlarında, eğer
bağışıklık sistemi baskılanmazsa, sonuç olarak vücut, gelen yeni
kırmızı kan hücrelerini istilacı yabancı bir patojen olarak
değerlendirebilir ve ardından onları yok etmeye başlayabilir. Organ
nakillerinde de aynı dinamik geçerlidir. Bağışıklık sistemi
baskılanmazsa, vücut yeni organı istilacı yabancı bir patojen olarak
görebilir ve başarılı bir organ naklini önleyebilir. Bu husus dikkate
alındığında, aşılar söz konusu olduğunda, başarılı uygulama ile bir
ödünleşme olacağı tahmin edilmektedir. Bağışıklık sistemini
baskılama, vücudun aynı virüsten daha sonraki bir enfeksiyonla
savaşmak için yeterli antikor üretme sürecinden geçmesine izin
verir, ancak tip-1 interferon tepkisini sınırlama pahasına. Tip-1
interferon yanıtı, vücudun yabancı patojenlere karşı ilk savunma
hattıdır ve aynı zamanda sitomegalovirüsü uzakta tutan şeydir. Tip-1
interferon yanıtı aktive edildiğinde, bir virüse hücre zarıyla temas
eder etmez saldırabilir ve böylece RNA'sını hücreye enjekte etmesini
engelleyebilir. Sonuç, kişi hastalanmıyor.

Bununla birlikte, olumsuz etkileri anlamak söz konusu olduğunda, işler biraz daha karmaşık hale gelir. COVID-19 aşısının yan etkileri ile ilgili hangi semptomların rapor edildiğini zaten açıkladım, ancak bu semptomlar yalnızca tip-1 interferon yanıtı baskılandığında ortaya çıkabileceklerle ilgilidir. Daha önce belirtilen semptomların aksine, spektrumun karşı ucunda olduğu sonucuna vardığım diğer yan etki semptomları rapor edilmiştir. Örneğin, bazı insanlar aşılama sonucunda düşük tansiyon bildirmiştir. Bununla birlikte, aynı zamanda, bazıları aşılamanın bir sonucu olarak yüksek tansiyon bildirmiştir. Bunlar zıt patolojilerdir. Dolayısıyla, bu karışıklığı çözmeye çalışmak için, Bölüm 2'deki bu kitap, tıpkı küresel düzeyde jeopolitiğin işleyiş biçimine çok benzeyen, vitaminleri, mineralleri, hastalıkları ve diğer sağlık belirtilerini karşıt taraflara ayıran sağlık hakkında bir teori formüle ediyor. Bu kitabın 2. Bölümü, belirli vitaminlerin, minerallerin, hastalıkların ve diğer fiziksel belirtilerin temelde diğer vitaminler, mineraller, hastalıklar ve diğer fiziksel belirtilerle sıralandığı bir II. Bu, İkinci Dünya Savaşı sırasında belirli ulusların mihver veya müttefik güçlerle birlikte veya onlara karşı nasıl oldukları ile birlikte gider. Bu teori, COVID-19 aşısının yan etkileriyle ilgili zıt semptomatolojiyi açıklamaya yardımcı olur. 1. ve 2. bölümleri okuduktan sonra tahmin edilmesi gereken şey, olumsuz etkilerin iki şekilde ortaya çıktığıdır. Birincisi, daha önce bahsedildiği gibi, düşük tansiyon, kan pıhtıları, kalp durması, nörolojik problemler ve hiperhomosisteinemi gibi rahatsızlıklara yol açan immün baskılama ve CMV reaktivasyonu yoluyladır. Yüksek tansiyon, turbo kanser, kalp krizi ve taşikardi gibi yukarıda belirtilenlerle çelişen diğer yan etkiler, aşırı agresif tip-1 interferon tepkisinin sonucudur ve yüksek beyaz kan hücresi sayısına, yüksek tansiyona yol açar. turbo kanseri, vb. Dolayısıyla, bu olumsuz etki semptomlarının, COVID-19 aşılarını almış, ancak halihazırda çok güçlü doğuştan bağışıklığı ve tip-1 interferon yanıtı olan kişilerde ortaya çıktığı sonucuna varılabilir. Esasen, bu durumda, vücut başlangıçta erken viral klirens için hazırlanmıştı ve viral vektör aşılarından viral vektör dağıtım sisteminin veya mRNA aşılarından lipit nanoparçacık dağıtım sisteminin bir sonucu olarak hücre zarı bozukluklarının saptanması üzerine vücudun tip-1 interferon tepkisi zayıflamadı, bunun yerine aşırı tepki vererek böyle bir tepkiyle ilgili semptomlara, yüksek tansiyon, yüksek beyaz küre sayısı, tümör büyümesi vb. semptomlara yol açtı. Beyaz kan hücresi sayısını kan basıncına veya tümör büyümesine bağlayan çalışmalara atıfta bulunarak, tıpkı II. Dünya Savaşı'nda ulusların birbiriyle bağlantılı olduğu şekilde. Bu teori, COVID-19 aşısının çeşitli ve zıt yan etkilerinin nedenini daraltmaya yardımcı olur.

Aşılar ve CMV Reaktivasyonu

Bostonlu Anthony

Aşılar ve CMV Reaktivasyonu

İçindekiler

Bölüm 1: Aşılar ve CMV Reaktivasyonu

COVID-19'un (koronavirüs) patogenezi, akut solunum sıkıntısı sendromu (ARDS) olarak adlandırılan duruma yol açar ve tüm dünyayı etkiler. Salgın, Aralık 2019'da Çin'in Wuhan kentinde ortaya çıktı ve 2020 Ocak ayının ortalarında küresel olarak yayılmaya başladı. Aynı yılın Mart ayında Dünya Sağlık Örgütü, koronavirüs salgınını resmi olarak bir pandemik hastalık olarak tanıdı. COVID-19 enfeksiyonunun en yaygın semptomları ateş, yorgunluk, öksürük ve nefes darlığıdır ve en önemli etkileri Akut Solunum Sıkıntısı Sendromu'na (ARDS) ve organ hasarına yol açan iltihaplanma ve oksidatif strestir. Hastaneye yatışa neden olan en yaygın semptom nefes darlığıdır. 2020'nin sonlarından başlayarak, genel nüfusa uygulanmak üzere bir dizi aşı piyasaya sürüldü. Cambridge Massachusetts'te geliştirilen Moderna aşısının %94 etkili olduğu klinik deneylerde doğrulandı. İngiltere'de Oxford Üniversitesi tarafından geliştirilen AstraZeneca ChAdOx1 aşısının etkinliği %90'dır. Aşı ayrıca Brezilya, ABD, Hindistan ve Güney Afrika'da da test edildi. 2020'de Alman ve ABD şirketleri BioNtech ve Pfizer, %95 etkinliğe sahip olduğu bulunan BNT162 aşısını test etmeye başladı - 65 yaş ve üzerinde %94 etkililik. ABD şirketi Johnson and Johnson, %85 etkililiğe sahip bir aşı geliştirdi. İlk belirtiler, aşıların COVID-19 Alfa varyantının bulaşma ve yayılma şansını azalttığını gösterdi. Bununla birlikte, aşıların etkinliği, COVID-19'un yeni Delta varyantı dünya çapında yayılmaya başladıkça düşmeye başladı. Şubat 2021'de Hindistan'da ortaya çıktı ve orijinal Alpha varyantından çok daha bulaşıcı ve bulaşıcı olduğu doğrulandı. Aşı araştırmacılarına göre, aşıların etkinliği Delta varyantına karşı azaltılmıştır. Yüzde azalma değişir. ABD'de yapılan bir araştırma, PfizerBioNtech aşısının Delta'ya karşı etkinliğinin %88 olduğunu, İsrail'de yapılan bir araştırma ise aynı aşının yalnızca %64 olduğunu saptadı. etkili. Bu kitap, aşının olumsuz etkilerini ve bunun sitomegalovirüs reaktivasyonu ile nasıl bir ilişkisi olduğunu incelemeyi ve ayrıca COVID-19 enfeksiyonlarında semptomatik yorgunluğu ve nefes darlığını hipotetik olarak hafifletebilecek bir önlem olarak E Vitamininin izole kullanımı için bir durum ortaya koymayı amaçlamaktadır. muhtemelen hastane ve YBÜ yatışlarını azaltır.

2021 yılının Haziran ve Temmuz aylarında, dünya çapında az sayıda çığır açan vaka bildirildi. Hem kısmen hem de tam olarak aşılanmış olanlar, hafif semptomlarla birlikte COVID-19 için pozitif testler yapıyor. Birkaçı daha şiddetli semptomlarla hastaneye kaldırıldı ve bazıları yoğun bakıma alındı. Bu, aşılanmamış kişilerde daha büyük bir COVID-19 enfeksiyonu artışına karşılık geldi ve bunların çoğu, olumsuz etki raporları nedeniyle Covid19 aşısını almakta tereddüt ediyor. Hastaneler, ağır Covid enfeksiyonu ile hastaneye kaldırılan ve yoğun bakıma kabul edilenlerin daha büyük bir yüzdesinin aşılanmadığını bildirdi. Delta varyantının bir sonucu olarak daha fazla sayıda aşılanmamış gencin ciddi vakalarla hastaneye kaldırıldığı da bildirildi.

Ölümcül kan pıhtılaşmasından kalp iltihabına ve ani kardiyak ölüme kadar aşıyla ilgili binlerce ölümcül yan etki VAERS Aşı Olumsuz Etki Bildirim Sistemine bildirildi. Tarihsel olarak, VAERS raporlama sistemiyle ilgili raporların kabaca gerçek vakaların yüzde biri olduğu tahmin edilmektedir. Geçmişte, ilaçlar ve diğer aşılar, yalnızca düzinelerce yan etki raporu nedeniyle askıya alınmıştı. 1976'da Domuz Gribi aşısı, aşı nedeniyle 15 ölüm bildirildiğinde durduruldu.

Aşı tereddüdüne yol açan bir başka faktör de, CDC'nin aşıların COVID-19 ile mücadelede neler başardığına ilişkin rehberliğini nasıl değiştirmeye başladığına dayanıyordu. İlk başta, bir kişinin COVID-19'a karşı aşı olması durumunda artık karantinaya girmesine ve maske takmasına gerek kalmayacağı belirtilmişti. Muhtemelen bu, aşıların virüsün yayılmasını sınırladığı anlamına geliyordu. Bununla birlikte, CDC daha sonra tavsiyesini değiştirdiğinde ve aşıların virüsün yayılmasını engellemediği, yalnızca ciddi hastalık ve ölümleri önlediği konusunda uyarıda bulunduğunda kafa karışıklığı başladı. Ekim 2022'de Pfizer sözcüsü, bir Avrupa Parlamentosu duruşması sırasında COVID-19 aşısının virüsün yayılmasını durdurma yeteneği açısından asla test edilmediğini itiraf etti. Daha sonra bu kitap, aşının neden enfeksiyon riskini artırdığını ancak ciddi hastalık ve ölüm olasılığını azalttığını açıklıyor; bu da teorik olarak virüsün daha uzun yaşamasına ve mutasyona uğramasına izin veriyor. mRNA aşısının arkasındaki bilim bu sonuca varmak için yeterlidir.

Aşı ve yetenekleriyle ilgili bilgilerin karartılması, güvensizliğin yanı sıra, çoğu COVID-19'un bir aldatmaca olduğu ve aşının nüfusu öldürmesi ve azaltması gerektiği fikrini içeren çok sayıda komplo teorisini besledi. Tabii ki, aşının olumsuz olaylara neden olmadığına ve VAERS'ta bildirilen milyonlarca olumsuz olayın, düşman aktörler tarafından oraya konulan abartılı ve hayali bilgiler olduğuna inanan başka bir uç nokta da var. Şu anda tıp camiası, kişisel siyasi bakış açılarını haklı çıkarmak için COVID-19 durumunu kullanan aşırı uçların bu iğrenç dinamiğinde gezinmeye çalışıyor. Aşının güvenliğini sorgulayan herkesin aşırı sağcı bir komplo teorisyeni olduğu ileri sürülüyor. Aşıyı savunanlar ise, nüfusu azaltmaya kararlı aşırı sol uzmanlar. Bu kitap, aşının piyasaya sürülmesinin başından beri yapılması gerekeni yapacak ve bu, verme korkusuyla bu verileri göz ardı etmek veya gizlemek yerine, nüfusun küçük bir bölümünde olumsuz etkilerin neden olduğuna ilişkin bilgileri nesnel olarak incelemektir. aşı tereddütüne neden olur. Verilerin saklanması, yalnızca daha büyük bir güvenlik sonucuna yol açacak bir kazan-kazan durumunun ortaya çıkmasını engeller.

Aşı ve maskeleme, COVID-19'dan kaynaklanan ciddi hastalık ve ölümleri önleme söz konusu olduğunda insanların çoğunluğu için etkili bir şekilde çalıştı. Aşılar yayılmayı durdurmasa da nüfusun büyük bir bölümünün şiddetli COVID-19'dan ölmesini engelledi. Bununla birlikte, talihsiz birkaç kişi aşıdan kalıcı nörolojik ve kardiyak yan etkiler yaşadı ve binlerce kişi miyokardit ve kan pıhtılaşması gibi komplikasyonlardan öldü. Pandemi ve aşı programı başladığından beri genç sporcularda bile ani kalp ölümlerinde önceki yıllara göre ciddi bir artış oldu. Cedars-Sinai araştırmacıları, CDC'den alınan verileri kullandılar ve pandemiden önceki yıl 143.787 kalp krizinden ölümün meydana geldiğini hesapladılar. Bu sayı bir sonraki yıl 2021'de %14 artarak 164.096'ya yükseldi. Artış en çok 25 ila 44 yaş arasındakiler arasında belirgindi. Araştırmacılar, 2021 için 25 ila 44 yaş arasındaki gençler arasında gözlemlenen ve tahmin edilen kalp krizi oranının %30 arttığını kaydetti.

2020'de kalp krizlerinin aşının piyasaya sürülmesinden önce bile arttığını gösteren verilerden yola çıkarak, kalple ilgili ölümlerdeki ani artışın tek etkeni olarak aşıyı ayırmak zorlaşıyor. Bu bağlamda, suçlu olarak COVID-19 virüsünün antijenini tanımlamak haklı hale gelir - yani enfeksiyon, viral vektör aşılaması veya mRNA aşılaması yoluyla COVID-19'a maruz kalmanın bir kişiyi olumsuz etki riskine sokabileceği anlamına gelir. ani kardiyak ölüm veya kalp krizi çünkü her üç durumda da vücut, bu durumda spike proteinleri olan antijene maruz kaldığında bağışıklığı baskılanır.

Bu yazı boyunca, COVID-19 ve COVID-19 aşıları ile CMV reaktivasyonu arasında bağlantı kurulabilir. Şiddetli COVID-19 ile enfekte olanlarda, bu CMV reaktivasyonu, halihazırda bağışıklığı baskılanmış olanlar veya COVID-19'un patojenik etkileri yoluyla bağışıklığı baskılanmış olanlar arasında hastalık ilerledikçe ortaya çıkar. "COVID-19 kritik hastalarda sitomegalovirüs kan reaktivasyonu: risk faktörleri ve mortalite üzerindeki etki" başlıklı bir çalışma, Şubat 2020 ile

Temmuz 2021 arasında yoğun bakım ünitesine ağır COVID-19 nedeniyle başvuran 431 hastadan 88'inde CMV reaktivasyonu belirtileri olduğunu buldu. CMV reaktivasyonu olanlar arasında daha yüksek ölüm oranı da gözlendi. Öte yandan, aşılama söz konusu olduğunda, COVID-19'a karşı aşılananlar, aşı yoluyla immün baskılama yoluyla CMV reaktivasyonu yaşayabilir. Her iki durumda da, kan pıhtıları, miyokardite bağlı ani ölüm ve Gullain-Barre sendromu gibi bir dizi yan etkiyle sonuçlanabilecek CMV reaktivasyonundan kaynaklanan komplikasyonlar, ciddi hiperhomosisteinemi olduğunu varsaydığım CMV patogenezinin sonucudur. tromboz ve trombositopeniyi tetikleyen yüksek ortalama trombosit hacmi (MPV), potansiyel olarak kan pıhtıları, miyokardit ve Guillain Barre sendromundan kaynaklanan ölümcül komplikasyonlara yol açar; çünkü CMV reaktivasyonuna duyarlılık 15 ila 15 yaş arasındaki kişilerde en yüksektir. 45. Hiperhomosisteinemi semptomları, COVID-19 aşısı olanların yaşadığı semptomları yansıtır. Yükselmiş homositin düzeylerinin belirtileri soluk cilt, halsizlik, yorgunluk, ellerde, kollarda, bacaklarda veya ayaklarda karıncalanma hissidir. Diğer semptomlar baş dönmesi, ağız yaraları ve ruh hali değişikliklerinin yanı sıra nörolojik semptomlardır. Bunların hepsi yakın zamanda aşı yaptıranların bildirdiği belirtilerdir. Yüksek seviyedeki homosistien atardamarların iç yüzeyine zarar verebilir ve kanın çok kolay bir şekilde pıhtılaşmasına neden olarak, kan dolaşımını teşvik eden faaliyetlerden bağımsız olarak felç, kalp krizi veya pulmoner emboliye neden olabilir. Tipik olarak, bir kişi uzun bir süre boyunca sendenter ise, saatlerce hareket etmezse, hareketsizliğinin bir sonucu olarak kan pıhtılaşması riski artar. Ancak aşırı yüksek homosistein seviyeleri, fiziksel olarak aktif olsalar bile kan pıhtılaşması riskini artırabilir. Ve bu, kan trombositlerinin ne kadar aktif olduğundan kaynaklanmaktadır. Yüksek kafein alımına sahip olanlar, CMV reaktivasyonundan ve ardından gelen hiper homosisteinemiden kaynaklanan olumsuz etkiler açısından daha yüksek risk altındadır. Aslında, B12 Vitaminini antagonize eden herhangi bir şey, homosisteinemi riskini yükseltir. Bunlara potasyum ve C vitamini dahildir. Dolayısıyla, B12 ve diğer B vitaminlerinin aşının yan etkilerinin hafifletilmesinde rol oynayacağı sonucuna varabiliriz. Olumsuz etkilerin suçlusu olarak homosistein üzerine yoğunlaşmak, yan etkilerden muzdarip olmayan aşılanmış bireyleri yaşayanlardan ayırmanın tek yolu olabilir. Bu bağlamda, aşı programının, bildirilen yan etkilerin sayısını daha da azaltabilecek hafif bir modülasyonla devam etmesi, aynı zamanda hayat kurtarmaya ve insanları şiddetli COVID-19'dan muzdarip ve ölümden korumasına kapı aralıyor.

Ancak bu arada, rapor edilen artan sayıdaki yan etkiler önemsiz görülerek göz ardı ediliyordu. Ekim 2022'ye kadar CDC, aşılanmış kişilerin aşı sonrası semptomları CDC'ye bildirebileceği bir akıllı telefon uygulaması olan V-safe veri programından veri yayınlayacaktı. CDC bilgileri izledi, ancak Bilgilendirilmiş Onay Eylem Ağı'ndan (ICAN) gelen davalar, CDC'nin bilgileri yayınlamasını gerektiren bir mahkeme kararına yol açana kadar gizli tuttu. Veriler, katılımcıların kabaca %8'inin tıbbi müdahale gerektiren bir yan etki gösterdiğini gösterdi. Aşı Olumsuz Olay Raporlama Sisteminden (VAERS) Aralık 2022 itibarıyla alınan en son veriler, 14 Aralık 2020 ile 30 Aralık 2022 arasında COVID-19 aşılamasının ardından 1.494.382 advers olay raporunu içermektedir. Bu rakam içinde, bildirilen 33.469 vaka vardır. ölüm, 273.916 ciddi yaralanma vakası bildirdi. Bildirilen 33.469 ölümün 21.074'ü Pfizer aşısına, 9.330'u Moderna aşısına ve 2.896'sı Johnson & Johnson aşısına bağlandı. Bildirilen ölümlerin verilerinde, %9'u aşılamadan kısa bir süre sonra, yani aşılamadan sonraki 24 saat içinde meydana geldi. %13'ü aşılamadan sonraki 48 saat içinde meydana geldi.

Nispeten konuşursak, bu, özellikle gelmeyen bir dizi raporun ardından diğer tedavilerin ve aşıların durdurulduğu gerçeği göz önüne alındığında, COVID-19 (koronavirüs) Aşıları ile ilişkilendirilen küçük ama son derece önemli sayıda yan etkidir. COVID-19 yan etki raporu rakamlarına yakın herhangi bir yer. 2021'de Johnson and Johnson aşısı, bildirilen çok sayıda kan pıhtısı nedeniyle Gıda ve İlaç İdaresi tarafından kısıtlanmıştı. COVID-19 ve aşılar nedeniyle kan pıhtılarının oluşumu, trombositopeni ile tromboz adı verilen bir hastalıktan kaynaklanmaktadır. Trombositopeni, trombosit sayısının çok düşük olduğu bir durumdur ve bunun sonucunda kişi aşırı kanama ve kanama riski altına girer. Öte yandan tromboz, trombosit sayısının çok yüksek olduğu ve vücudu kan pıhtılaşması riskine sokan bir durumdur. Trombositopeni ve trombozun birleşik etkisi tıbbi bir muamma yaratmıştır. Hem düşük trombosit sayısı hem de yüksek kan pıhtılaşması riski olan bir COVID-19 hastası nasıl tedavi edilir? Geçmişe bakıldığında, COVID-19 ile enfekte olmuş hastaları ve ayrıca COVID-19 aşısı olan kişilerin küçük bir yüzdesini etkileyen çoğunlukla kan pıhtıları olmuştur. Bu sonuçtan sorumlu olan faktör, yüksek ortalama trombosit hacmi (MPV) idi. MPV yükseldiğinde, düşük trombosit sayısında bile kan pıhtılaşması riski artar. Yüksek düzeyde aktive olan trombositler, sayıları düşük olsa bile yine de dolaşıma girerek pıhtı oluşturabilir. Bu COVID-19 patolojisi, ya viral enfeksiyonun kendisiyle ya da COVID-19 enfeksiyonu veya COVID-19 Aşısı nedeniyle bağışıklığı baskılanmış veya bağışıklığı baskılanmış kişilerde meydana gelebilecek sitomegalovirüsün (CMV) yeniden aktivasyonu ile ilgilidir.

mRNA COVID-19 Aşıları, çok nadir vakalarda bazı kişilerde sitomegalovirüsün (CMV) yeniden aktif hale gelmesine izin veren kısa ömürlü geçici bir immün baskılamaya neden olabilir. Sitomegalovirüsün bu yeniden aktivasyonu, nadir durumlarda miyokardite ve Guillain-Barré sendromuna ve bir dizi başka rahatsızlığa neden olabilir. Sitomegalovirüs, doğada her yerde bulunur ve her yaştan insanda yaygındır ve ergenlerde suçiçeği ve mononükleoza neden olan herpesvirüs ailesinin bir parçasıdır. Enfeksiyondan sonra CMV, çoğu insanın vücudunda yaşamları boyunca uykuda kalır, ancak bağışıklık baskılanması sırasında yeniden aktif hale gelebilir. 45 yaşından büyük erkeklerde azalan CMV duyarlılığı, mRNA aşısı almış genç insanlarda nadir görülen miyokardit vakalarının olmasının nedeni olabilir. CMV duyarlılığı 16-45 yaşları arasında artar, bu da gençlerde aşı kaynaklı yan etkilerin yüksek sayısını açıklayabilir. Ayrıca tedaviler, ilaçlar ve hatta aşılar bağışıklık sistemini geçici olarak baskılayabilir ve CMV'nin yeniden aktivasyonuna neden olabilir. Bununla birlikte, bu çok nadirdir, ancak COVID-19 mRNA aşısı almış olanlarda nadir görülen miyokardit ve Guillain-Barré vakalarının olası bir nedeni olarak araştırılmalıdır.

7 yaşından küçük çocukların difteri, tetanoz ve boğmacaya (boğmaca) karşı bağışıklık geliştirmelerine yardımcı olan bir aşı olan ADTP aşısı, geçici olarak bağışıklık baskılanmasına neden olur. Bir Rus çalışmasına göre, bu, immünomodülatör saflaştırılmış stafilokokal anatoksin kullanılarak düzeltilebilirdi. Aşılar normalde geçici immünsupresyon oluşturur. Bu nedenle 6 haftadan çok daha kısa bir sürede ikinci bir doz almak bazen tam bir yanıtı önleyebilir. Bu nedenle mRNA aşısının 2. dozu 1. dozdan 3-6 hafta sonra verilir.

Bu nadir durumlar, aşıların etkinliğini azaltmaz, ancak yine de kabul edilmelidir. Genel olarak, ciddi hastalık ve ölüm söz konusu olduğunda aşılar enfeksiyon riskini azaltmada oldukça etkilidir. Bununla birlikte, nadiren yan etki vakaları vardır ve en ufak bir şansı bile en aza indirmek için her türlü çaba gösterilmelidir.

Vücutta iki ana bağışıklık türü vardır: doğuştan gelen bağışıklık ve adaptif bağışıklık. Doğuştan gelen bağışıklığın geçici olarak baskılanması, aşının vücudun onu gelecekteki enfeksiyonlardan koruyacak antikorlar oluşturarak adaptif bağışıklık geliştirmesine izin verme işini yapması için zorunludur. Aşılar, doğuştan gelen bağışıklık tepkisini baskılama görevini yerine getirmediyse, vücudun ilk bağışıklık tepkisi, vücut o virüse özgü antikorlar oluşturma şansı bulamadan virüsü veya yabancı patojeni öldürür. Bu ilk bağışıklık tepkisine interferon tepkisi denir. Tip 1 interferon yanıtı, bağışıklık aktivasyonu için önemli olan önemli bir anti-viral savunmadır. Virüslere karşı ilk doğal bağışıklık bariyerlerinden biridir ve viral aktiviteye karşı erken savunma sağlar. Bununla birlikte, daha önce belirtildiği gibi, bununla ilgili sorun, viral aktivitenin erken temizlenmesinin, güçlü adaptif bağışıklığın göstergesi olan daha fazla dolaşımdaki antikorların gelişimi için gerekli olan antijen mevcudiyeti dinamiğini ve müteakip antikor tepkisini sınırlayabilmesidir. Temel olarak, antijene yeterli maruz kalma, vücudun virüsün daha sonraki enfeksiyonlarına karşı koruma sağlayacak daha fazla antikor üretmesine izin verir. Bu maruziyet, tip 1 interferon yanıtı hızla virüse karşı harekete geçtiğinde ve onu temizlediğinde sınırlanır. Böylece COVID-19 aşıları, tip 1 interferon tepkisini engeller, böylece genel aktif ve adaptif bağışıklık daha verimli olabilir. Teorik olarak bu, kişinin enfeksiyon kapma şansını artırır, ancak ciddi hastalık ve ölüm şansını düşürür. Bununla birlikte, tip 1 interferon tepkisini engellemeye yönelik bu değiş tokuşta, virüsün daha uzun yaşamasına, popülasyon arasında yayılmasına ve mutasyona uğramasına izin verilir. Virüs, aşılanmış olanın daha yüksek antikor düzeyine kademeli olarak dirençli hale geldiğinden, aşılanmamış kişinin daha düşük antikor düzeyine karşı daha da güçlü hale geldiğinden, bu durum aşılanmamış kişiyi ciddi bir ölümcül enfeksiyon riskine sokar - yani aşılanmamış kişi gelişmemişse. güçlü bir doğuştan bağışıklık. Bu teorik olarak aşılanmamış popülasyona aşı olmaktan başka seçenek bırakmaz. Oybirliğiyle konsensüs böylece zorunlu hale gelecektir. Nüfusun tamamı ya aşılamayı kabul etmeli ya da aşılamamayı kabul etmelidir. Arası olamazdı. Büyük ölçüde aşılanmamış bir popülasyondaki aşılanmış birkaç kişinin enfekte olması ve aşılanmamışlar üzerinde çok daha güçlü bir virüs türü başlatması için gereken tek şey. Muhtemelen sırasıyla Hindistan ve Güney Amerika'da Delta ve Lambda varyantlarında olan buydu. Hindistan'da delta varyantı ortaya çıktıktan 3 ay sonrasına kadar aşılamalar başlamazken, Hindistan'da Bharat Biotech'in Covaxin (Hindistan'ın COVID-19 aşısı) aşı denemeleri 15 Temmuz 2020'de başladı. Aşılanmayanlarda aşılananların enfekte olma tehlikesi hane halkı için de geçerlidir. Tam olarak aşılanmış asemptomatik bir taşıyıcı, özellikle aşılanmamış üyeler halihazırda bağışıklığı baskılanmışsa, ailesinin aşılanmamış aile üyelerini ciddi ciddi hastalık riski altına sokabilir. Tersine, teorik olarak antikor gelişimi pahasına daha büyük bir tip-1 interferon tepkisini tercih edecek bir tedavide, virüs güçlenecek ve mutasyona uğrayacak kadar uzun süre dayanmayacaktır. Bu senaryoda, virüse karşı adaptif bağışıklık engellenecek ve daha yüksek tip 1 interferon yanıtı nedeniyle enfekte olma şansı daha düşük olurken, kişinin enfekte olması durumunda ciddi hastalık ve ölüm olasılığı daha yüksek olacaktır. Ancak bu senaryoda virüsün yayılımı daha düşük. Tip 1 interferonlar, doğuştan gelen bağışıklık tepkisi, adaptif bağışıklık tepkisi gibi bir varyanta özgü olmadığından, koronavirüsün yayılmasını azaltmada muhtemelen anahtardır. Durum buysa ve amaç COVID-19 varyantlarının yayılmasını durdurmaksa, bir COVID tedavisinin daha çok tip 1 interferon yanıtını uyarmaya odaklanması gerekir. COVID için bu tür tedavi, enjeksiyon yerine oral olabilir. CDC tarafından aşılananların da aşılanmayanlar kadar virüsü yayabileceği belirtildi.

Hastalığa bakteri, virüs, parazit veya mantar neden olur. Bu patojenler, spesifik patojene ve neden olduğu hastalığa özgü birkaç bileşenden oluşur. Vücudu antikor üretmeye teşvik eden patojen bileşenine antijen denir ve bir antijene yanıt olarak antikorların üretildiği bu süreç, bağışıklığın önemli bir yönüdür. Aşılar, antijenin aktif olmayan kısımlarını içerir. Bu aktif olmayan parçalar aşı enjeksiyonu yoluyla vücuda verildiğinde, vücut buna yanıt olarak antikorlar üreterek yanıt verir. Bu, vücuda daha sonra maruz kalmaları durumunda hastalığa karşı bir miktar koruma sağlar. Teknik olarak aşı yoluyla vücuda sunulan antijen parçasının hastalığa neden olmaması gerekir. COVID-19 için kullanılan mRNA aşılarında antijenin kullanılan kısmı virüsün yüzeyinde bulunan spike proteinlerdir. Ancak bu spike proteinler vücuda enjekte edilmez. Bunun yerine, bu başak proteinlerini yapmak için kullanılan plan, aşıda bulunan mRNA'ya kodlanır. Aşı vücuda enjekte edildikten sonra, mRNA, talimatlarının ribozomlar tarafından spike proteinlerine çevrildiği hücreye girer. Aşı ayrıca doğuştan gelen bağışıklık tepkisini veya tip-1 interferon tepkisini inhibe eden bir mekanizmaya sahiptir, böylece hücreye nüfuz etmeden önce mRNA üzerinde etkide bulunmaz. Tip 1 interferonlar, hücre zarı bozukluklarına tepki verme eğilimindedir. MRNA, sitoplazmada spike proteinlerine çevrildikten sonra, adaptif bağışıklık tepkisi, spike proteinlerini yabancı bir patojen olarak tanır ve enfekte olmuş hücreye giden, spike proteinlerine bağlanan ve onları yok edilmek üzere işaretleyen antikorlar oluşturur. Bu patojen çıkarıldıktan sonra, antikorlar vücutta bir süre kalır ve bu sayede daha önce yok ettiği belirli patojenin benzer formlarını tanır ve bulur. Vücuda daha sonra gerçek virüs bulaştığında, antikorlar virüsün yüzeyindeki sivri uçlu proteinleri tanıyacak, virüse bağlanacak ve vücuttan atılmasını sağlayacaktır. Bu koruma varyanta özgüdür ve antikorlar vücutta kaldığı sürece devam eder. COVID-19 aşısı bu korumanın yaklaşık 6 ayını veriyor. Virüs farklı bir varyanta dönüştüğünde, aynı antikorlar tarafından tanınmayan farklı bir spike protein formuyla vücuda girer. Bu, yeni varyant virüsünün antikor tepkisinden kaçmasına izin verir, çünkü bu antikorlar spesifik veya önceki bir spike protein formunu (farklı bir varyant) çıkarmak için tasarlanmıştır. Bu, belirli bir patojene veya varyanta karşı antikor geliştirmek için başka bir aşının gerekli olduğu zamandır.

Esasen mRNA ile vücuda virüsün antijeninin bir parçasını oluşturması talimatı verilir. Bu, antijenin bir kısmının vücudun dışından geldiği ve vücuda enjekte edilmeden önce aşının içinde bulunduğu normal aşıların tersidir. Kodu çözüldükten sonra mRNA, vücudun enzimleri tarafından parçalanır ve yok edilir. Virüslerin kendileri vücuda saldırdığında, virüsün başak proteinleri içeren yüzeyi, konakçı hücrenin spesifik reseptörlerine kilitlenir. COVID-19'da, virüsün spike proteinleri, hücre zarı ile birleşmeden önce konakçı hücrenin ACE2 reseptörlerine kilitlenir. Bu füzyon, virüsün genetik materyalini hücreye salmasına izin verir. Bu genetik materyalin RNA'sı daha sonra hücrenin hücresel mekanizması tarafından yeni virüs partiküllerini oluşturan proteinlere çevrilir. Virüs bu şekilde çoğalır.

Koronavirüse yönelik herhangi bir uzun vadeli veya çok değişkenli çözüm, virüsün hücrenin ACE2 reseptörüne erişiminin engellenmesini gerektirecektir. Bu, virüsün füzyon proteinlerine yönelik bir aşı gerektirecektir. Başka bir seçenek de ACE2 reseptörlerini tamamen bloke etmektir, ancak bu yan etkilerle birlikte gelebilir. Virüs füzyon proteinlerine karşı hareket etmek, virüsün hücre zarıyla ilk temasını kurduğunda hücre zarı bozukluklarının saptanması üzerine doğuştan gelen bağışıklık sistemi içinde tetiklenen mekanizmanın tanımlanmasını gerektirecektir. Bir çalışma, membran füzyonuna hücresel tepkinin, bağışıklık aktivasyonu için önemli olan önemli bir anti-viral savunma olan tip 1 interferon yanıtıyla sınırlı olduğunu buldu. Tip-1 interferon, esasen viral aktiviteye karşı erken savunma sağlayan şeydir. Bununla birlikte, viral aktivitenin erken temizlenmesi, güçlü adaptif bağışıklığın göstergesi olan daha fazla dolaşımdaki antikorların gelişimi için gerekli olan antijen mevcudiyetinin dinamiğini ve müteakip antikor tepkisini sınırlayabilir. COVID-19 aşıları, tip 1 interferon yanıtını sınırlar, böylece genel aktif bağışıklık daha verimli hale gelir. Bu, aşının neden enfeksiyonu önlemek için değil, ciddi hastalık ve ölümleri önlemek için yapıldığını anlamaya yardımcı olur. İlk bağışıklık tepkisini veya tip 1 interferon tepkisini kısıtlamak, tamamen aşılanmış kişilerde çığır açan COVID-19 vakalarını anlamamıza da yardımcı olur.

Tip 1 interferon, doğuştan gelen bağışıklık tepkisinin bir parçasıdır ve ayrıca sitomegalovirüsü (CMV) uzak tutar. CMV gecikmesinin doğuştan gelen bağışıklık tepkisinin koruyucu etkisini artırdığı bulundu. Tip-1 interferon baskılandığında, CMV yeniden aktifleşerek miyokardit ve Guillain Barre sendromu gibi bir dizi hastalığa yol açabilir. Bu, çoğu durumda son derece nadirdir.

Söylediklerim, COVID-19'un yayılmasının başlamasından üç yıl sonra aşılananlar arasında COVID enfeksiyon oranlarının neden daha yüksek olduğu konusunda mantıklı. Omicron alt varyantı XBB.1.5, NYC Sağlık ve Zihinsel Hijyen Departmanı tarafından aşılanmış kişiler arasında daha bulaşıcı ve bulaşıcı olduğu tahmin edilmiştir. Geriye dönüp baktığımızda, COVID-19 enfeksiyonunun erken aşamalarını durdurmak için hidroksi-klorokin ve Ivermectin kullananların teorik olarak ciddi hastalık ve ölüme karşı daha düşük korumaya sahip olduğunu, ancak vücutlarının şu şekilde tepki vermesine izin vererek erken viral temizlenme olasılığının daha yüksek olduğunu görüyoruz. Virüs hücre zarıyla temas eder etmez, virüsün mRNA'sını hücreye enjekte etme ve böylece ciddi hastalığa neden olma şansını en aza indirir. Virüsün yayılmasını azaltan şeyin aşılama oranı değil, güçlü bir tip 1 interferon yanıtına sahip olanlar tarafından gerçekleştirilen doğuştan gelen bağışıklık tepkisi veya erken viral temizlemenin rolü olabileceğini varsayabiliriz. Maskeleme, virüsün yayılmasını kontrol altına almada da büyük rol oynadı.

Aşıların başarılı bir şekilde uygulanması, birincil amaca ulaşmak için immünsüpresyonun gerekli olduğu tek süreç değildir. Aşılar söz konusu olduğunda, birincil amaç, adaptif bağışıklığı ve belirli varyantlar için antikor gelişimini teşvik etmek ve ölümcül bir patojenden kaynaklanan olası bir enfeksiyon durumunda ölüm olasılığını azaltmaktır. Aşılamanın doğuştan gelen bağışıklık tepkimizi bastırmayı ve antijen sunumu ve antikor gelişimi gerçekleşmeden önce yabancı patojeni yok etmesini engellemeyi gerektirmesi gibi, organ nakli de doğuştan gelen bağışıklık tepkisini bastırmayı gerektirir ve aşılar gibi organ nakli sürecinin de yan etkileri vardır. CMV yeniden aktivasyonu gibi. Doğuştan gelen bağışıklık sistemi, yabancı bir patojenin hücre zarıyla temasa geçtiğini fark ederek ve daha sonra RNA'sını hücreye enjekte etmeden önce saldırarak vücudu korur, bu da enfeksiyonu önler. Bir organ nakli sırasında, doğuştan gelen bağışıklık tepkisi baskılanmazsa, vücudun bağışıklık sistemi yeni organı yabancı bir patojen olarak algılayabilir ve bir nakil reddini tetikleyebilir. Aynı şey kan transfüzyonunda da olur; eğer doğuştan gelen bağışıklık sistemi baskılanmazsa, bağışıklık sistemi kan nakli yoluyla getirilen kırmızı kan hücrelerine saldırabilir çünkü bağışıklık sistemi bu kırmızı kan hücrelerini kendisininkiyle aynı olarak tanımaz. Bu dinamik, aşıların, organ naklinin ve kan transfüzyonunun başarılı bir şekilde uygulanması için immünosupresyonun gerekli olmasının nedenidir. Bununla birlikte, her üçünde de, doğuştan gelen bağışıklık tepkisini bastırmanın bir sonucu vardır. Ve bu sonuç, miyokardite bağlı ani ölüm ve Guillain-barre sendromu gibi komplikasyonları tetikleyebilen CMV reaktivasyonudur. CMV tipik olarak konakçı hücrede gizli kalır, ancak doğuştan gelen bağışıklık tepkisi baskılandığında yeniden etkinleşme konusunda fırsatçı kalır.

COVID-19'a karşı güçlü bir bağışıklığa sahip olmak kutlanacak bir şey değil ve bu kitap bunun nedenini açıklayacak. Sağlık, büyük ölçüde temelde birbirine zıt iki taraftan oluşur. Bu nedenle, Afrika'daki düşük COVID-19 oranının, kıtanın COVID-19 enfeksiyonuna teoride karşı çıkacak bir patoloji olan COVID-19'dan farklı bir patoloji olan ebolaya karşı daha yüksek duyarlılığından kaynaklandığını tahmin edebiliyorum. Bunun tersini de uygulayabiliriz, teorik olarak COVID-19 enfeksiyonu ebola enfeksiyonuna karşı çıkar. Bu nedenle, koronavirüslere ve gribe daha duyarlı olan ülkeler, ebola ve mide-bağırsak virüslerine karşı daha az duyarlı olacak ve bunun tersi, koronavirüslere daha az duyarlı olan ülkeler, ebola ve mide-bağırsak virüslerine karşı daha duyarlı olacaktır. Bu nedenle, başka bir enfeksiyon türü için daha büyük bir riskin göstergesi olabileceğinden, bir kişi bir tür enfeksiyonla savaşma yeteneğini kutlayamayabilir. ABD'de COVID-19'a karşı yüksek doğuştan bağışıklık yanıtına sahip olanlar, ebola veya gastrointestinal virüslerin Amerika Birleşik Devletleri'ne yayılması durumunda ebola ve gastrointestinal virüslere karşı daha duyarlı olabilir.

Gastrointestinal virüslerin ve grip/koronavirüslerin patolojisinin birbirine nasıl zıt olduğuna dair bir örnek. Gastrointestinal bir virüs olan norovirüs, solunum yolu hastalıklarına karşı bağışıklık sisteminin müttefiki bile olabilir. Araştırmacılar, norovirüsün bağırsak hücrelerinde saklanarak bağışıklık tepkisinden nasıl kaçabildiğini anlayamadılar. Fareler kullanılarak yapılan bir testte araştırmacılar, enfeksiyondan sonraki ilk birkaç gün içinde T hücrelerinin güçlü tepki verdiğini ve virüsü kontrol edebildiğini ancak 3 gün sonra T hücrelerinin artık norovirüsü tespit edemediğini fark ettiler. Norovirüs tespit edilmeden kalırken, T-hücre fonksiyonu aktif kaldı. Norovirüsün bağırsak hücrelerine sığınmadan önce bağışıklık sistemini düzenlediğini varsayıyorum. Norovirüsler, konakçı salgı yolunu bloke etmek ve bağışıklık tepkilerini engellemek için iki protein (p48 ve p22) kullanır. Konak salgı yolları, proteinlerin, lipidlerin ve sitokinler ve kemokinler gibi immün aracılar gibi moleküllerin hücre içi ticaretine aracılık eder. Virüsler salgı yolunun ticaretini bozabildiklerinde, patogenezlerini geliştirebilirler. Norovirüs virülans faktörü 1 (VF1) proteini, sitokin indüksiyonunu antagonize eder. Bu aynı zamanda bağışıklık hücrelerinin virüse saldırmaması için bir sinyal görevi görebilir. Norovirüs minör yapısal proteini VP2, antijen sunumunu baskılar.

Antijen sunumu, adaptif bağışıklığın önemli bir bileşenidir. Sitokin indüksiyonunu antagonize eden norovirüs virülans faktörü 1 (VF1) proteini, norovirüsün hem sitokin fırtınasını hem de COVID-19 patogenezini azaltabileceği hipotezine hizmet edebilir. Bu aşırı bir varsayımdır. Sitokin fırtınasını azaltmak için kullanılan Janus kinaz inhibitörleri gibi bağışıklık sistemini baskılayıcı ilaçların çoğu, mide bulantısı, kusma ve ishal gibi norovirüse özgü aynı semptomatik belirtilerin yan etkilerine sahipken, bağışıklık sistemini baskılayan ilaçlar vücudun diğer enfeksiyonlarla savaşma yeteneğini azaltabilir ve artabilir. COVID-19 ile enfekte olma riski. Öte yandan, norovirüsün yalnızca bağışıklık tepkisinden kaçtığı gösterilmiştir, ancak bağışıklık bastırıcıların yaptığı gibi onu mutlaka engellemesi gerekmez. Aslında, virüs bağırsak hücrelerinde tespit edilmeden saklanırken bağışıklık sistemi tamamen işlevsel kalır.

Norovirüs virülans faktörü 1 (VF1), norovirüsün sitokin indüksiyonunu antagonize eden bileşenidir. Bu proteinin izole edilmesinin, sitokin fırtınası ile ilgili olduğu için COVID19'un patogenezini tamamen engellemenin yollarına ilişkin ileri araştırmalara yol açması olasıdır. Bu, bağışıklık tepkisini bastırmak yerine nötralize eder.

COVID-19 mortalitesindeki iki ana biyobelirteç, düşük trombosit sayısı ve yüksek ortalama trombosit hacmidir (MPV). Trombosit sayısı, kanınızdaki trombosit sayısını belirler ve kemik iliğinde üretilir ve kan dolaşımına salınır. Bu hücreler kan dolaşımında dolaşır ve hasarlı kan damarlarını tespit ettiklerinde bir araya gelirler. Trombositlerin bu şekilde bir araya gelmesine pıhtılaşma denir. Trombosit sayısı düşük olduğunda, bu hücrelerin daha azı kan dolaşımında pıhtılaşma için kullanılabilir. Bu olduğunda, kişinin pıhtı oluşturma yeteneği azalır ve bu da kişinin iç kanama ve kanama şansını artırır. Trombosit sayısı yüksek olduğunda, bu hücrelerin daha fazlası pıhtılaşma için kan dolaşımında bulunur. Bu sayı ne kadar yüksek olursa, bir kişinin kan pıhtılaşması geliştirme riski o kadar fazladır.

Ortalama trombosit hacmi, bu trombositlerin boyutu ve reaktivitesidir. Daha yüksek bir ortalama trombosit hacmi, kişinin trombositlerinin ortalamadan daha büyük olduğunu gösterir. Ayrıca kemik iliğinden yeni salındıkları için daha gençtirler. Bu nedenle, daha büyük trombositlerin daha hızlı aktivasyona uğradığı ve çok hiperaktif olduğu bulunmuştur. Bu, trombosit sayısından bağımsız olarak kan pıhtılaşması riskini artırır. Öte yandan, daha düşük bir ortalama trombosit hacmi, trombosit boyutunun ortalamadan daha küçük olduğunu gösterir. Daha düşük bir ortalama trombosit hacmi ayrıca trombositlerin daha eski ve daha az aktif olduğunu gösterir. Bu, trombosit sayısından bağımsız olarak bir kişiyi kanama bozukluğu için daha fazla risk altına sokar.

COVID-19'un patolojisi, genellikle enfekte kişinin yüksek trombosit hacmi ile düşük trombosit sayısı göstermesine neden olur. Bu faktörlerin her ikisi de artan mortalite ile ilişkilendirilmiştir. Şiddetli COVID-19'u olanlarda kan pıhtıları daha yaygın olduğundan, yüksek ortalama trombosit hacminin temel biyobelirteç olduğu ve düşük trombosit sayısının vücudun homeostazı sürdürme girişimi olabileceği daha kolay anlaşılabilir.

Bu göründüğü kadar zorlayıcı. Kusmaya ve ishale neden olan bir virüs olan norovirüs, COVID-19'a karşı terapötik bir ajan olabilir. Norovirüs ile ilgili ilginç olan şey, trombositler söz konusu olduğunda patolojisinin COVID-19'un tersi bir durum sunabilmesidir. Norovirüse çok benzeyen ancak çoğunlukla küçük çocuklarda bulunan bir mide virüsü olan rotavirüs gastroenteriti üzerine yapılan bir araştırma, rotavirüs gastroenteriti olan çocuklarda olmayanlara kıyasla ortalama trombosit hacminin çok daha düşük olduğunu buldu. Ayrıca rotavirüs ile enfekte olanlarda trombosit sayısının daha yüksek olduğunu bulmuşlardır.
https://www.ncbi.nlm.nih.gov/pmc/articles/PMC4359417/

Bu, COVID-19'da olanın tam tersi. Rotavirüs ve norovirüs arasındaki bağlantı, her ikisinin de fekal-oral temas yoluyla bulaşmasıdır, dolayısıyla benzer bir patolojiyi paylaşmaları muhtemeldir. Bir başka ilginç not da rotavirüs gastroenteritinde bulunan düşük ortalama trombosit hacminin inflamatuar gastrointestinal hastalıklarla ilişkilendirilirken, COVID-19'daki yüksek ortalama trombosit hacminin solunum yollarındaki iltihaplanma ile ilişkili olmasıdır. Artmış bir gastrointestinal inflamasyonun azalmış bir solunum inflamasyonu ile ilişkili olup olmadığını görmek ilginç olacaktır. Eğer öyleyse basit bir virüs savaşı çıkartılabilir. Norovirüs veya rotavirüs, ciddi COVID-19 ile mücadelede teorik olarak terapötik ajanlara dönüştürülebilir.

"Murin Norovirüs Enfekte Hücrelerin RNA Sıralaması Viral Tanıma ve Antijen Sunumu İçin Önemli Genlerin Transkripsiyonel Değişimini Ortaya Çıkarıyor" başlıklı bir çalışma, Murin Norovirüs'ün doğuştan gelen bağışıklık tepkisinin güçlü bir simülatörü olduğunu buldu. Erken viral klirensten sorumlu olan tip 1 interferon tepkisini indüklediği bulunmuştur. Bununla birlikte, viral aktivitenin erken temizlenmesi, güçlü adaptif bağışıklığın göstergesi olan daha fazla dolaşımdaki antikorların gelişimi için gerekli olan antijen mevcudiyetinin dinamiğini ve müteakip antikor tepkisini sınırlayabilir. Bu esas olarak norovirüs enfeksiyonunda olan şeydir ve murin norovirüs proteinlerinin translasyonunun neden engellendiğini anlamlandırır. İnterferon yanıtı, virüse füzyon öncesi durumunda saldırır ve transkripsiyon için RNA'sını konakçı hücreye salmasını engeller. (Bu prefüzyon viral temizleme sürecinin, mide-bağırsak rahatsızlığı -mide bulantısı, kusma ve ishal olarak kendini gösterdiğini varsayıyorum.) Sonuç olarak, norovirüs durumunda, virüs bağırsak hücrelerine çekilir ve orada kalır. Antijen sunumu ve antikor üretimi engellendiği için virüs, bağışıklık sistemi tarafından tespit edilememiştir. Norovirüs, vücudu konakçı hücrenin transkriptomunu inhibe etmesi için tetikleyen bir virüs olduğundan, bu, norovirüs için aşı araştırmaları için sorunludur. Bu, norovirüs için başarılı bir tedavinin, bizi COVID-19 patolojisine getiren tip-1 interferon yanıtını engelleyecek bir mekanizma gerektireceği anlamına gelir.

COVID-19 virüsü, norovirüsün tersini yapar. İnterferon tepkisini inhibe eder ve hücrenin transkriptomunu önemli ölçüde tetikleyerek genetik materyalini (RNA) transkripsiyon için konakçı hücreye bırakır. (Bu postfüzyon transkriptomunun kendini solunum bozukluğu - yorgunluk, öksürük ve ateş olarak gösterdiğini varsayıyorum.) Böylece vücut, dendritik hücreler tarafından antijen sunumu yoluyla daha fazla miktarda nötralize edici antikor üretebilir. Bazen COVID-19 ile, konakçı hücrenin hücresel mekanizması aşırı tetiklenebilir ve sitokin fırtınası adı verilen ve organ hasarına yol açabilen bir inflamatuar yanıta neden olabilir. Bir kez daha, bu norovirüsün çalışma şekline aykırıdır. Norovirüs, sitokin reseptörlerini önemli ölçüde azaltır. COVID-19'da aktive edilmiş hücre transkriptomunun bu yönü, COVID-19 antijen sunumunu ve antikor üretimini engellemediği için araştırmacıların bir aşı geliştirmesini çok daha kolaylaştırır. Böylece, COVID-19 aşısı, vücudu antijenin ölü bir kısmına maruz bırakabilir ve vücudun yanıt olarak antikor üretmesini tetikleyebilir. Gelecekte virüse maruz kalması durumunda vücut böylece korunacaktır. Virüsün kendisi antijen sunumunu engellediğinden norovirüs için durum böyle değildir. Bir norovirüs aşısının, vücutta norovirüs vücuda girer girmez tip I interferon tepkisini hemen inhibe edecek bir mekanizmayı tetiklemesi gerekir. Antikorlarla alakası yok. Norovirüs ve koronavirüsün birbirine tamamen zıt olduğu varsayıldığından, her virüsün bir bileşeni diğeri için aşıda vektör olarak kullanılabilir. Norovirüsün bir bileşeni, koronavirüs aşısında vektör olarak kullanılabilir. Ve koronavirüsün bir bileşeni, norovirüs için bir aşıda vektör olarak kullanılabilir. Bir viral vektör aşısı, bir mRNA aşısından farklıdır. mRNA aşılarında antijenin parçası aşıda değil, aşının içerdiği mRNA'ya kodlanıyor. Aşı vücuda enjekte edildikten sonra mRNA, talimatlarının antijenin bir kısmını oluşturan proteinlere çevrildiği hücreye girer. Bağışıklık tepkisi daha sonra proteinleri yabancı bir patojen olarak tanır ve enfekte olmuş hücreye giden, proteinlere bağlanan ve onları yok edilmek üzere işaretleyen antikorlar oluşturur. Bu patojen çıkarıldıktan sonra, antikorlar vücutta bir süre kalır ve bu sayede daha önce yok ettiği belirli patojenin benzer formlarını tanır ve bulur. Vücuda daha sonra asıl virüs bulaştığında, antikorlar antijeni tanıyacak, virüse bağlanacak ve onu vücuttan uzaklaştıracaktır. Bu koruma, vücutta o virüsün antikorları yüksek kaldığı sürece devam eder. Öte yandan viral vektör aşıları, antijeni üretmek için vücudun kendi hücrelerini kullanmaları bakımından benzerdir. Bununla birlikte, mRNA yerine, genetik kodu iletmek için değiştirilmiş bir virüs kullanırlar. antijen. Buradaki avantaj, hem tip 1 interferon yanıtını hem de antikor üretim yanıtını tetiklemesidir. Bu, enfeksiyondan korunma ve ayrıca enfeksiyondan sonra koruma sağlayacaktır.

Virüsler arasındaki karşıt patolojilerin dinamiğini anlamak, vücutta diğer süreçlere karşıt olarak işleyen çok sayıda süreci içeren daha büyük bir çatışma olduğunu anlamamıza yardımcı olabilir. Fiziksel sağlığa ilişkin bu felsefe, vücudun vitaminler ve mineraller arasındaki bitmeyen çatışmalar ve çatışmalarla nasıl korunduğunu anlatacaktır. Aynı reseptör bölgesi için biri diğerine çok uzun süre baskın geldiğinde, hastalık ortaya çıkar. Savaş eşit kaldığı sürece, sonuç sağlık olacaktır. Bu tam bir sağlık hikayesi mi? Hayır. Fiziksel sağlığın başka bir yönü, dış istilacıların (virüslerin) varlığıdır ve bu, işlerin biraz daha karmaşık hale geldiği zamandır. Vücuda yabancı bir şey girdiğinde ve semptomlar ortaya çıktığında, çözüm her zaman bir vitamin veya mineralin diğerine üstün gelmesinden kaynaklanan vitamin veya mineral eksikliğini dengelemek kadar basit olmayabilir. Bu sağlık teorisinin özünü anlamak için, vücudun işlev görmesini sağlayan tüm vitamin ve mineralleri hayal edin. Şimdi bu vitaminlerin veya minerallerin yarısının ve bunların sonucunda ortaya çıkan sağlık işlevlerinin sağlığın bir tarafına ait olduğunu ve diğer yarısının sağlığın diğer tarafına ait olduğunu ve bu 2 tarafın esasen birbirine zıt olduğunu ve bu zıtlıkta bir hastalığın belirli semptomlarının oluştuğunu hayal edin. bir taraftan bir vitamin veya mineral vücuda girdiğinde ve geldiği vitamin ve minerallerin tüm o tarafının yeteneğini arttırırken, aynı zamanda vitamin ve mineral emilim yeteneğini zayıflattığında daha kötü veya daha iyi Vitamin ve minerallerin diğer tarafından. Özünde, bir dizi semptomu azaltmanın her zaman diğer bir dizi semptomu daha da kötüleştirdiğini anlamak. Sağlığın her iki tarafı için yarışmacıların iyi bir benzetmesi, İkinci Dünya Savaşı'nın Eksen ve Müttefik güçleridir. Almanya, Japonya ve İtalya farklı gündemlere sahip farklı ülkeler olsa da, bir ülkenin İkinci Dünya Savaşı'ndaki başarısı, o ittifaktaki diğerlerinin başarısına ve aynı zamanda karşı ittifakın zayıflamasına eşitti. Aynı şey ABD, Rusya ve İngiltere'nin Müttefik güçleri için de geçerli. Bu ülkelerden birinin İkinci Dünya Savaşı'ndaki başarısı, diğer ittifakı zayıflatırken tüm ittifaka fayda sağladı.

Yeni girilen vitamin veya mineral, vücut tarafından emilim açısından her zaman en güçlüsüdür. Şimdi, bazı dış istilacılar (virüsler veya mikroplar) bir vitamin ve mineral setinin diğerine üstün gelmesini sağlarken ve diğer taraftan sadece antagonist vitamin ve mineralleri alıp sadece eksikliği gidererek kolayca yok edilirken, diğer virüsler muhtemelen (belki) içeri girer. Vücuda hem saldırır hem de vitamin ve mineral çatışması başlar. İyi bir benzetme, Çin Milliyetçileri ve Çin Komünistleri 2. Dünya Savaşı sırasında birbirleriyle savaşırken Japonya'nın Çin'e saldırmasıdır. Şimdi, virüsü zayıflatmak için önce hangi tarafı güçlendireceğiniz konusunda bir seçim yapmanız gereken bir durum var. Bunu yapmak, başka bir vitamin ve mineral setini zayıflatır veya tüketir ve virüsten kaynaklanan negatif semptomların bir kısmını daha da şiddetlendirir, ancak bir tarafı etkinleştirme eylemi virüse zarar verir ve bir semptom setini azaltır. Artık virüs yaralandığına göre, virüsle savaşan antagonist vitamin ve minerallerin varlığı nedeniyle baskılanan diğer vitamin ve mineral seti virüse ateş etme sırası gelene kadar yok edilemez. Şimdi, virüsle savaşma sırası onlara geldiğinde, onların varlığı, virüse ilk giden önceki vitamin ve mineral ittifakını bastırıyor. Bu, daha önceki baskılamadan kaynaklanan bazı semptomları ortadan kaldırmaya yardımcı olur, ancak virüsle ilk kez savaşan ancak ilk vitamin ve mineral seti vücut tarafından emilebildiğinde azalan vitamin ve minerallerin baskılanmasından kaynaklanan semptomları geri getirir. Şimdi virüs daha fazla yaralandı, ancak vücut hala eksiklikten kaynaklanan semptomlar yaşıyor. Teorik olarak, her bir karşıt ittifakın virüsle savaşmasını sağlamak arasında gidip gelerek virüs ortadan kaldırıldığında, vitamin ve mineral ittifaklarının her iki tarafının orijinal çatışması sonunda geri döner ve eksikliği basitçe vitamin veya mineral alımı yoluyla düzeltme ihtiyacı ortaya çıkar. virüs varlığı olmadan. Ayrıca, virüslerin vitamin/mineral ittifakının diğer vitamin/mineral ittifakını alt etmesini sağlama gücünün mevcut rahatsızlıkları iyileştirmeye yardımcı olabileceği de belirtilmelidir. Şu anda vücutta bir hastalık varsa, gelen bir virüs, diğer ittifakın mevcut rahatsızlığın getirdiği vitamin/mineral dayatmasının üstesinden gelmek için mazlum ittifakın ihtiyaç duyduğu takviyeleri getirebilir. Bugünün doktorları bile mevcut hastalıklarıyla savaşmak için hastalara başka hastalıkları enjekte ediyor. Örneğin, Kızamık virüsü bazen insanların kanserle savaşmasına yardımcı olmak için kullanılır. Dolayısıyla, vitamin ve mineral ittifakları ve muhalefetinin aynı anda bir dış istilacı (virüs) tarafından saldırıya uğraması hakkındaki teorimizi kullanırken, ebola virüsüne bakacağız. Ebola, vücut sıvıları yoluyla vücuda giren ve genellikle Yarasalar ve

Maymunlarda bulunan bir virüstür. Bir kişiye ebola virüsü bulaştığında, virüsün kendisi bir hücreye bağlanır ve hücreye girer ve kendini kopyalama sürecini başlatır. Bunu yaparken, hücrenin, genellikle virüse saldırıp onu öldürecek olan bağışıklık sisteminin beyaz kan hücrelerini uyaran kısmını yok etmeyi başarır. Yani özünde, beyaz kan hücrelerinin ilk baskılanması, ateş, boğaz ağrısı, eklem ağrısı, kas ağrısı, halsizlik, baş ağrısı (Hastalık Kontrol Merkezlerine göre) gibi ilk semptomlara neden olan şeydir. CDC'ye göre bunlar aynı zamanda grip/koronavirüs semptomlarıdır. Bu, bunu virüsün kendisi olarak değil, virüsün ne yaptığı olarak görmeyi daha önemli hale getiriyor. Benim gözlemime göre grip/koronavirüs belirtileri, vitamin/mineral ittifakının diğer ittifak üzerinde kendini öne çıkaran taraflarından sadece biri. Ancak basitlik adına, karşıt ittifakları 2 ana vitamine indireceğiz; grip/koronavirüs benzeri semptomların destekçisi olan 1. ittifaktan A Vitamini ve 2. ittifaktan grip/koronavirüs benzeri semptomların bir antagonisti olan E Vitamini. Daha önce de belirtildiği gibi, tıpkı 2. Dünya Savaşı'ndaki ittifaklarda olduğu gibi, birinin varlığı ve iddiası esasen parçası olduğu tüm ittifakın iddiasını güçlendirirken, karşı tarafın ve ittifakının iddiasını zayıflatır. Dolayısıyla, ebola'nın bu ilk semptomlarıyla, ilk grip/koronavirüs benzeri semptomları ve düşük beyaz kan hücresi sayısını destekleyecek ve aynı zamanda karşıtın baskılanmasını destekleyecek aşırı bir A Vitamini iddiamız var. E Vitamini ve ittifakı, otomatik olarak grip/koronavirüs benzeri semptomları ve düşük beyaz kan hücresi sayısını antagonize etme yeteneği ile eş tutulacaktır. Teorik olarak, ebola'nın ilk kısmıyla başa çıkmanın çözümü, grip/koronavirüs için basit bir tedavi protokolü olacaktır. (Grip/koronavirüs semptomlarına karşı en iyi savaşçının E Vitamini olduğunu düşünüyorum). İşte burada bir sorunumuz var. Bildiğim kadarıyla ebola'nın ilk aşaması akyuvar sayısını azaltmıyor, sadece sinyal vereni öldürüyor ve böylece akyuvarları virüsün ne yaptığından habersiz bırakıyor. Bir benzetme, bir binaya zorla girmek, ancak kameraları, güvenlik görevlilerinin binaya giren kimseyi görmeyecekleri şekilde değiştirmek olacaktır. Bu senaryoda, binaya giren ve gardiyanlar farkında olmadan her şeyi alan dolandırıcılarınız var. Bu da bizi ebola'nın ikinci aşamasına, yani ateşle birlikte mide-bağırsak sorunlarına getiriyor. Şimdi bu noktada, beyaz kan hücreleri uyarıldı ve şimdi tam ölçekli bir reaksiyon başlatıyorlar. CDC'ye göre, ateş genellikle bu aşamada kusma ve ishal gibi gastrointestinal problemlerle birlikte devam eder. Buradaki ikilem, A Vitamini grip/koronavirüs semptomlarının destekçisi olduğu için, aslında gastrointestinal sorunları ve yüksek beyaz küre sayısını destekleyecek olan E Vitamini, mücadelesinde grip/koronavirüs benzeri semptomların baskılanmasına yol açmış olmalıdır. reseptör bölgesi için A vitaminine karşı. Ebola semptomlarının zaman çizelgesini bilmediğim için, ateşin mide-bağırsak problemlerinin başlangıcından hemen önce yükseleceğini ve ardından E Vitamini ve ittifakının yanı sıra semptomatik olduğu için (hala orada olmasına rağmen) yavaşça azaldığını varsaymalıyım. mide bulantısı, kusma ve ishalin özellikleri (aşırı iddia nedeniyle) kendini güçlü bir şekilde ortaya koyar ve sonunda grip/koronavirüs benzeri sorunları ve bunların A Vitamini desteğini geride bırakır. Bazı araştırmalara göre, bu, ebola için kesinlik veya kırılma noktasıdır. hayatta kalma Eboladan kurtulanların bu aşamada (sağlığa eşittir) dengeleyici bir etki yaşadıkları ve bu dengeyi yaşamayanların sonunda E Vitamini / mide sorunu tarafından tamamen ele geçirilmesiyle uğraşmak zorunda kaldıkları başka bir hipotezi haklı çıkarıyor gibi görünüyor. korelasyon. E Vitamini aynı zamanda bir kan inceltici olduğundan, bu değerlendirme, ebola hastaları için ince kanın neden olduğu kanamadan nihai ölüm sonucuyla uyumlu olacaktır. 2. aşamada, E Vitamini ilk girişinde kan basıncını yükselttiği için, ebola'nın 2. aşamasında bir noktada ortaya çıkması sırasında kan basıncında bir artış olmalıdır. Bu değerlendirme, ebola'nın, beyaz kan hücrelerinin başlangıçta virüsün varlığını tespit edememesi nedeniyle beyaz kan hücrelerinin aşırı tepkisi olduğu sonucuna varacağından, ebolanın hayatta kalmasının vücudun bu aşırı tepkiyi sınırlama yeteneğine bağlı olduğu sonucuna varılabilir. Amerikan Aile Hekimi-Baptist Bölgesel Kanser Enstitüsü'ne göre, yüksek beyaz kan hücresi sayımı, kanama ve beyin enfarktüsü riski nedeniyle acil bir durumdur.

Bu, beyaz kan hücresi/E Vitamini/kan inceltme/mide-bağırsak sorunları/kanamaların birbiriyle ilişkili olduğu anlamına gelir. Genel değerlendirme, grip/koronavirüs semptomlarının ve mide sorunlarının doğası gereği ilgisiz olduğu ve aslında doğal düşmanlar olduğu sonucuna varacaktır. Ebola'nın 2. aşaması, bir dizi semptomun diğerini baskın hale getirmeden ve baskılamadan hem grip/koronavirüs semptomlarının hem de mide semptomlarının abartılı bir tezahürüyse, o zaman ebola virüsü kanın nasıl çalıştığını keşfetme ihtiyacı ile daha karmaşık bir yapıya bürünür. incelme, aşırı beyaz kan hücreleri ve E Vitamini varlığı olmadan gerçekleşebilir. E Vitamini baskılanıyorsa ve grip/koronavirüs semptomlarına neden oluyorsa, A Vitamini baskılanarak gastrointestinal hastalığa neden oluyorsa, viral replikasyonun kendisi semptomlara neden olan faktördür. ve her iki tarafın da eksiklikleri varsa, vitamin/mineral dengesini normal seviyeye getirerek virüsü zayıflatma sürecini başlatmak için önce vitamin/mineral ittifakının hangi tarafını güçlendireceğine karar vermek ve güçlendiricinin ne olduğunu bilmek gerekir. ittifak virüsü zayıflatır, ancak bastırılmış vitamin/mineral ittifakı virüsle savaşmak için vücuttaki varlığını büyütme sırasını alana kadar semptomların bir kısmını şiddetlendirir.

Sağlığa yönelik iyi bir bakış açısı, bir hastalığı iyileştirmek değil, kişinin vücudundaki mevcut bir hastalığa karşı koyacak şekilde kendini hasta etmesi olacaktır. Sağlık, sallanan bir sarkaç veya iki zıt ucu olan bir metre olarak görülmelidir; her iki ucu da farklı bir hastalıktır; burada kişi spektrumun bir ucuna doğru ne kadar çok hastaysa, diğer ucundan o kadar az hasta olur. Spektrum. İşte grip/koronavirüs semptomları ve mide-bağırsak hastalığının zıt uçlardaki bir spektrumda nasıl göründüğünü ve ayrıca Sıtma ve Sickle hücresinin nasıl aynı şeyi yaptığını algılamak için görüntüler. Spektrumdaki çubuğun, çubukları bir uca diğerinden uzaklaştıran vitamin etkisi olduğunu hayal edin.

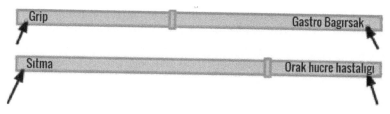

Tıp camiasında, vücudun diğer organlarına oksijen taşımak için gerekli olan kırmızı kan hücrelerinin bir bileşeni olan hemoglobinin bulunduğu kırmızı kan hücrelerinin bir bozukluğu olan orak hücreli aneminin aslında başka bir hastalığa karşı belirli korumalar sağladığı yaygın bir bilgidir. Sıtma. Sıtma genellikle böcek ısırıklarından kaynaklanır ve grip/koronavirüs benzeri semptomlara (ateş, titreme, kas ağrısı, baş ağrısı) neden olur. Diğer bir deyişle, vücudunda orak hücreli anemi bulunan kişilerin Sıtmaya yakalanma şansı çok düşüktür. Hemoglobinin atipik olduğu ve böylece kırmızı kan hücrelerini orak şekline sokan orak hücreli anemi, genellikle anemi, halsizlik ve yorgunluk, ellerde ve ayaklarda şişlik ve sarılık (cildin sararması) semptomları gösterir. Orak hücreli aneminin neden Sıtmaya karşı koruma sağladığına dair en dikkate değer çalışma, Portekiz'deki Instituto Gulbenkian de Ciencia'da (IGC) araştırmacı olan Michael P Soares tarafından yapılmıştır. O ve doktora sonrası araştırmacı Ana Ferreira ve Prof. Ingo Bechman'ın da dahil olduğu ekibi, fareleri orak hemoglobinin bir kopyasını üretmek için genetik olarak tasarladılar ve fareleri Sıtmaya maruz bıraktıktan sonra, beyin lezyonlarının genellikle ilişkili olduğunu buldular. Sıtma yoktu. Bu durumda, atipik orak hemoglobinin, parazitin bulaştırma kabiliyetine müdahale etmeden sıtma parazitini püskürttüğü bulundu.

Orak hücre/sıtma dinamiği, ebola ve beyaz kan hücreleri/E Vitamini ve bunun grip/koronavirüs benzeri semptomlara (A Vitamini) karşıtlığına ilişkin hipotezle uyumludur. Tıbbi araştırmalara göre, orak hücrenin yüksek beyaz kan hücresi sayımı ile ilişkili olduğu bulunmuştur. Bu nedenle, önceki sayfalarda ebola hakkında söylenenlerden yola çıkarak kavramlarımızı uygularken, eğer 2. aşama fazındaki ebola değerlendirmemiz bir E Vitamini/akyuvar/mide-bağırsak sisteminin A Vitamini/grip/koronavirüs benzeri semptomların vücuttaki hakimiyetini geçmesi. Orak hücre semptomlarını azaltmak için mevcut tedavi, beyaz kan hücresi sayısını düşüren, Hidroksiüre adı verilen reçeteli bir ilacın alınmasını içerir. Bu, beyaz kan hücresi sayısının orak hücreli anemiden kaynaklanan problemlerin ana bileşeni olduğunu gösterir. Yüksek akyuvar sayısının, kan damarı duvarlarında sürekli delikler açarak kan damarlarına zarar verdiği söylenir; bu, eboladan kaynaklanan hemorajik ateşte tam olarak olan şeydir.

Bu kavramları grip/koronavirüs benzeri semptomlar taşıyan başka bir hastalığa, HIV'e (İnsan Bağışıklık Yetmezliği Virüsü) aktararak bunun üzerine inşa edebiliriz. HIV, vücuttaki beyaz kan hücrelerini yok ederek vücuda etki eden cinsel yolla bulaşan bir hastalıktır. Bunu yaparken, bir kişinin enfeksiyonlarla daha az savaşmasını sağlar. İlerlemiş aşamalarda, Edinilmiş İmmün Yetmezlik Sendromu (AIDS) olarak adlandırılan HIV'in sonraki aşamalarına yenik düşen insanlar, genellikle, beyaz kan hücrelerinin onunla savaşmaması nedeniyle vücuda girebilen enfeksiyonlardan ölürler. Bu yazının değerlendirilmesiyle ebola, E Vitamini ile desteklenen ve orak hücreli anemide yükselen beyaz kan hücrelerinin aşırı reaksiyonudur (hem E Vitamini hem de orak hücre, grip/koronavirüs benzeri ateş semptomları taşıyan hastalıklara karşı düşmandır). /kas zayıflığı), bu kalıba devam edildiğinde, beyaz kan hücrelerini yok eden HIV'e, mide/bağırsak sorunları ortaya çıktığında orak hücre veya evre 2 ebola ile enfekte olmuş bir vücut ortamı tarafından önemli ölçüde karşı çıkılacağı varsayılabilir. İlginç bir şekilde, Uluslararası Aids Derneği adına Mark Mascolini tarafından yazılan www.blackaids.org adresindeki bir makalede şöyle deniyor: "423.431

yetişkin Afrikalı kaydının analizine göre, orak hücre hastalığı HIV enfeksiyonu olasılığını yaklaşık %70 azaltıyor. Amerikalılar 1997'den 2009'a kadar hastaneye başvurdu. Buna karşılık, orak hücre hastalığı, hepatit B veya C virüsü (HBV veya HCV) ile enfeksiyon olasılığını artırdı."

Bu, E Vitamini tarafından desteklenen yüksek beyaz kan hücresi sayısıyla ilgili herhangi bir şeyin grip/koronavirüs semptomlarıyla ilişkili herhangi bir şeyi antagonize edeceği yönündeki değerlendirmemizi doğruluyor. HIV ve orak hücre ile ilgili çalışma, orak hücrenin aslında hepatit B veya C ile enfeksiyon olasılığını artırdığını gösterdi. Değerlendirmemize göre, bunun nedeninin, HIV'den farklı olarak Hepatit B ve C'nin yüksek beyaz kan hücresi sayımı. Hepatit C'nin sonraki aşamalarında, iltihaplı bir karaciğer, depolanan A Vitamininin (E Vitamini A Vitaminini antagonize eder) tükenmesine ve beyaz kan hücresi sayısında keskin bir artışa (E Vitamini yüksek beyaz kan hücresi sayısını destekler) neden olur. Hepatit C, o noktaya kadar karaciğere yapılan bu kademeli saldırıysa, o zaman Hepatit C'nin yüksek bir beyaz kan hücresi sayımı ile ilişkili olması gerekir, bu da orak hücrenin neden Hepatit C için enfeksiyon olasılığını artırdığını doğrular. Hepatit C, bu durumda, temelde HIV'den farklı olacaktır. Hepatit B ve C temelde aynıdır, fark nasıl bulaştıklarıdır. Hep C kan yoluyla bulaşır ve Hep B sıvılar yoluyla bulaşır. Hepatit B ve C, giderek artan beyaz kan hücresi sayısıyla ilişkili olduğundan, yüksek beyaz kan hücresi sayısını otomatik olarak gösteren orak hücreli anemi, hepatitin artan beyaz kan hücresi yükselmesini ve bunun sonucunda karaciğerde hasar oluşmasını destekleyen bir ortam sunacaktır. . Bu noktada yavaş yavaş akyuvar sayısının yükselmesinin tam olarak vücudun genel olarak enfeksiyona verdiği tepki olmadığı, vücutta belirli hastalıkların bulunması için gerekli koşullar olduğu fikrini formüle ediyoruz. Anlamı, daha yüksek bir akyuvar hücresine bir enfeksiyonla savaşırken aynı zamanda bir sorun yaratma olarak bakılmalıdır ve tıpkı bazı hastalıkların beyaz kan hücresi sayısını artırmak için ilaç kullanılarak hafifletilmesi gibi, diğer hastalıkların da akyuvar sayısını azaltmak için ilaç kullanılarak hafifletilmesi. hücre sayımı. Orak satıhı ve hepatit tedavisinde kullanılan ilaçların akyuvar sayısını düşüren yan etkilerinin olması tesadüf değildir.

Şimdiye kadarki bilgileri kullanarak, beyaz kan hücresi sayısını, E Vitamini, tip 1 interferonları ve kan incelticiyi hizalayabiliriz. Antikorlar bir tür beyaz kan hücresi iken, bunların oluşumu beyaz kan hücresi sayımının ve Tip 1 interferon yanıtının baskılanmasını gerektirir, bu nedenle antikor oluşumunu beyaz kan hücresi sayımının karşısına koyabiliriz. İmmünsüpresanlar beyaz küre sayısını düşürdüğü için, bağışıklık sistemini baskılayıcı ilaçları beyaz kan hücresi sayımının karşı tarafına da koyabiliriz.

Bunu Yengeç'e kadar götürürsek, bu dinamiğin nasıl korelasyon göstermeye devam ettiğini gösterebiliriz. Yüksek beyaz kan hücresi sayımının kanser ölüm riskinin artmasıyla ne kadar ilişkili olduğunu gösteren araştırmalara sahibiz. Tıbbi bilim camiasında sigara içmek, yüksek beyaz kan hücresi sayısının yaygın olarak kabul edilen bir nedenidir. Sigara içmek de akciğer kanserine neden olan yaygın olarak kabul edilen bir faktördür. Tek başına bundan, yüksek beyaz kan hücresi sayısının kanser için bir risk faktörü olduğunu tahmin edebiliriz. Bu yazıda E vitamininin yüksek akyuvar sayısının doğal bir destekçisi olduğu belirlendiğinden, kanserle ilgili bilimsel araştırmaların bununla ne kadar örtüştüğünü artık görebiliriz. Gotheburg Üniversitesi'ndeki Sahlgrenska Akademisi, farelerde akciğer kanseri üzerindeki antioksidan etki üzerine bir çalışma yaptı. Farelere V itamin E ve N asetilsistein In adlı bir ilaç verildikten sonra araştırmacılar, akciğer kanseri tümörlerinin E Vitaminine yanıt olarak hızlandığını ve farelerin E Vitamini verilmeyen akciğer kanserli farelere göre çok daha hızlı ölmelerine neden olduğunu buldular.

Martin Bergo, Göteborg Üniversitesi Sahlgrenska Kanser Merkezi'nde profesör. Şangay'da yapılan başka bir çalışmada sigara içmeyen kadınlar kanser riski ve E Vitamini takviyesi açısından değerlendirildi. Bu çalışmada, E Vitamini takviyesi diyetini sürdüren kadınların akciğer kanseri, özellikle de akciğerler dahil vücudun herhangi bir yerinde gelişebilen bir tümör türü olan adenokarsinomlar geliştirme riskinin önemli ölçüde daha yüksek olduğu bulundu.

Orak hücre, bu kanser araştırmasıyla bağlantılı hale geliyor çünkü bir California Araştırmasında, orak hücre hastalığına sahip olanların, beyaz kan hücrelerinin hızlı aşırı üretimini içeren lösemi geliştirme riskinin yüzde 72 daha yüksek olduğu bulundu.

Daha yüksek bir beyaz kan hücresi sayımı oluşturan orak hücreli anemi, kanser için uyumlu bir ortam sağlar. İngiltere'de hastane verilerini kullanan başka bir araştırma, orak hücre hastalığı olan hastalarda hematolojik kanserler için üç kat ila 10 kat daha yüksek kanser insidansı ve kolon kanseri, melanom dışı cilt kanseri, böbrek kanseri ve tiroid kanseri riskinin arttığını keşfetti.

Yüksek beyaz kan hücresi sayımı ile sonuçlanan koşullar arasında daha fazla bağlantı keşfetmeye devam etmek için, kanser E Vitamini antagonisti Vitamin A ile karşılaştığında ne olduğuna bakalım. Ecole Polytechnique Federale de Lausanne tarafından yapılan bir çalışmada, araştırmacılar kolon kanseri tümörlerinin tümörün baskılanmasından sorumlu devre dışı bırakılmış bir genin sonucudur. Bu gene HOXA5 geni denir. Bu çalışmada, yeniden aktivasyonundan sorumlu faktörün A Vitamini olduğunu buldular. "Kolon kanseri olan farelerde, retinoidlerle (A Vitamini) tedavi, tümörün ilerlemesini bloke etti ve dokuyu normalleştirdi. HOXA'lar için geni geri döndürerek. üzerinde, bu tedavi kanser kök hücrelerini ortadan kaldırdı ve canlı hayvanlarda metastazı önledi. Araştırmacılar gerçek hastalardan alınan örneklerle benzer sonuçlar aldılar."

A Vitamini tarafından aktive edilen HOXA5 geninin akciğer kanseri üzerinde yapılan bir çalışmada, küçük hücreli olmayan akciğer kanseri hücrelerinin çoğalmasının HOXA5 geninin ekspresyonu ile inhibe edildiği bulunmuştur. Varsayımsal olarak, A Vitamini geni aktive ettiğinden ve kolon kanserinin ilerlemesini engellediğinden, A Vitamini ayrıca akciğer kanseri için aynı HOXA5 genini aktive etmeli ve ardından ilerlemesini engellemelidir. A Vitamini ile aktive edilmiş HOXA5 geni, kolon, akciğer, mide, servikal ve meme gibi bir dizi kanserde kanser hücresi proliferasyonunu inhibe etmekle bağlantılıdır. A Vitamini ve kolon kanseri hakkında ilginç bir gerçek, kolon kanserini diyet yoluyla doğal yollarla tedavi etmeyi seçen pek çok kişinin, A Vitamininin öncüsü olan beta karoten yüklü havuç suyunu içerek önemli bir başarı elde etmesidir. www.chrisbeatscancer.com, iki kişi, Ann Cameron ve Ralph Cole, diyetlerinde başka hiçbir şey değiştirmeden sadece havuç suyu içerek kanserlerini nasıl tamamen iyileştirdiklerini yazdılar. Ann Cameron'ın deneyimi hakkında "Havuçla Kanseri İyileştirmek" adlı bir kitabı var.

Akciğer kanseri üzerine A Vitamini takviyesi çalışmalarının neden A Vitamini ile kanser arasındaki bu açık bağlantıya ulaşamadığını anlamak, belki de A Vitamini takviyesine başka bir şeyin dahil edilmesi gerekebileceği gerçeğinden kaynaklanmaktadır. fındık ve yağlar gibi doğal kaynakların çoğunun şeker oranı çok düşüktür. Bu, emilimi sağlamak için şekerin varlığına gerek olmadığını gösterebilir.

Bununla birlikte, beta karoten ile havuç, domates, kırmızı biber, kavun ve tatlı patates gibi doğal kaynakların çoğu bol miktarda doğal şeker içerir. Bu, A Vitamininin emilebilmesi için şekerin bulunması gerektiğini belirtmelidir. A vitamini yağda çözünürken (emilmesi için yağın varlığına ihtiyaç duyar), öncüsü olan beta karoten değildir. Kanserde HOXA5 genini yeniden aktive eden A Vitamini çalışması, Ann Cameron'ın kolon kanserini tamamen iyileştirmek için havuç suyu kullanma deneyimiyle doğrudan bağlantılıysa, o zaman insanlarda HOXA5 genini aktive etmek için gereken A Vitamini "Vitamin" ile ilişkili olmalıdır. A vitamininin HOXA5 genini yeniden etkinleştirmesinin, A vitamininin öncüsü olarak beta karotenin uygun şekilde emilmesine bağlı olduğunu ve uygun bir dönüşümü gerçekleştirmek için şekerin varlığına ihtiyaç duyduğunu varsayarsak, daha sonra şekerin varlığına duyulan ihtiyacı beyaz kan hücresi sayımı dinamiğinde rol oynayan başka bir yön olarak ilişkilendirin.eğer kanserli tümör büyümesi yüksek beyaz kan hücresi sayımı ile bağlantılıysa ve A Vitamini bu tümörü engelleyen bir işlemi aktive etmekle bağlantılıysa Ön koşul olarak şeker ile büyüme, o zaman daha yüksek kan şekerinin daha düşük bir beyaz kan hücresi sayısıyla ilişkili olduğu, daha düşük bir kan şekerinin ise daha yüksek bir beyaz kan hücresi sayısı ve dolayısıyla kanserli tümörler için daha yüksek bir risk ile ilişkili olduğu varsayılabilir. Orak hücreli anemi daha yüksek bir beyaz kan hücresi sayımı ile bağlantılı olduğundan ve daha yüksek bir beyaz kan hücresi sayısı daha düşük kan şekeri ile ilişkili olduğundan, orak hücreli aneminin kendisi yüksek kan şekeri için düşük bir risk oluşturmalıdır. Brown Üniversitesi Halk Sağlığı Okulu'ndan Mary Elizabeth Lacy tarafından yapılan son araştırmalarda, diyabet riskini ölçmek için açlık glikozunu kullanırken, o ve meslektaşları orak hücreli Afrikalı Amerikalılarda diyabet prevalansının daha yüksek veya daha düşük olduğuna dair hiçbir belirti olmadığını bulmuşlardır. olmayanlar. Bununla birlikte, kırmızı kan hücrelerine yapışan glikoz miktarını ölçerek diyabet riskini ölçen hemoglobin testi A1c kullanıldığında, testin orak hücre özelliği olanlarda diyabet teşhisi prevalansının çok daha düşük olduğunu buldular. yapmayanlar..... kan şekeri seviyeleri her ikisi için de benzer olmasına rağmen. Orak hücreli anemideki alyuvarlar eskisi kadar uzun yaşamadığından, kan hücrelerinin glikoz toplamak için daha az zamanı vardır ve bu nedenle A1c okumaları, orak hücre grubunda daha az diyabet insidansını gösterir.

Bununla birlikte, orak hücre özelliği için A1c sonuçlarının biyolojik faktörlerle ilişkili olmadığına dair bir doğrulama yoktur. Tip 1 ve tip 2 diyabet söz konusu olduğunda, tip 1 diyabetin daha düşük akyuvar sayısıyla (Hillson Rowan. Diyabet ve kan - akyuvarlar ve trombositler) ve Tip 2'nin daha yüksek akyuvar sayısıyla ilişkili olduğu bulunmuştur. kan hücresi sayımı. İkisi arasındaki fark, tip 1 diyabette üretilen insülin olmamasıdır. Tip 2 diyabette insülin vardır ama yeterli değildir. Çoğu çalışma, beyaz küre sayısı yüksek olanlarda tip 2 diyabet riskinin daha yüksek olduğunu bulmuştur. Buradaki sorun, daha yüksek kan şekerinin daha düşük beyaz küre sayısıyla ilişkili olacağı hipotezimin tip 1 için yapılan çalışmayla aynı çizgide olması, ancak tip 2 için değil. Diyabetin nasıl olduğu konusundaki bu kafa karışıklığını çözmenin tek yolu (tip 1 ve 2), iki farklı beyaz kan hücresi faktörünü anlayabilir, bu, tip 2 ile ilişkili yüksek WBC'nin sonucunu kan şekeri seviyeleriyle DEĞİL, insülin seviyeleriyle hizalayarak yapılır. Daha fazla şeker tüketimi, diyabetik olmayan kişilerde daha fazla insülin üretimine yol açtığından, tip 2 riskinin artması, vücudun insülin üretimini aşırı şeker tüketimi ile yıpratmakla ilişkilendirilmelidir. Bu, yüksek beyaz kan hücresi sayımı için test yapan ve bu nedenle tip 2 diyabet geliştirme riski daha yüksek olan herhangi bir diyabetik olmayan kişinin aynı zamanda yüksek bir şeker tüketicisi olduğunun varsayılması gerektiği anlamına gelir. Bu durumda, insülin yanıtı, yüksek beyaz kan hücresi sayısını garanti etmelidir. İnsülini akyuvar sayımı için faktör yaparak, diyabet geliştirmeyen daha düşük beyaz kan hücresi sayımı için test edilen kişilerin şeker alımına ve dolayısıyla yüksek bir akyuvarı garanti edecek insülin tepkisine sahip olmadığı varsayılmalıdır. hücre sayımı. Bu doğal olarak diyabet geliştirme riskinin daha az olduğunu gösterir. WBC'ye yapılan bu insülin uygulaması, açıkça insülin yanıtının olmadığı ve dolayısıyla düşük beyaz kan hücresi sayımının olduğu tip 1 diyabetle ilgili testle hala aynı çizgidedir. Aradaki fark, diyabetik olmayan ve düşük insülin kullanımına bağlı olarak düşük akyuvar sayımı olan bir kişinin, beyaz kan şekeri düşük olan bir tip 1 diyabetik kişinin aksine, daha düşük bir şeker alımı için fazla insülin kullanmaya ihtiyaç duymamasının bir sonucu olarak zorunlulukla ilgili olmasıdır. kan hücresi sayımı, ne kadar şeker tüketilirse tüketilsin, sadece insülin üretememekle ilgili insülin olmamasının bir göstergesidir. Bu aynı zamanda, insülinden etkilenmeden tek başına şekerin beyaz kan hücresi sayısını düşüreceği anlamına gelir. Kanser hücresi çoğalmasını engelleyen HOXA5 geninin aktivasyonunun A Vitamininin (beta karoten ve şeker varlığına ihtiyaç duyma) bir sonucu olduğuna geri dönersek, diyabetin bazı kanser riskini azaltacağı sonucuna varabiliriz. Norveç Bilim ve Teknoloji Üniversitesi ve Trondheim Üniversitesi'ndeki araştırmacılar, 1677 akciğer kanseri vakasını analiz ettikten sonra, diyabeti olan ve olmayan akciğer kanserli hastalarda 1, 2 ve 3 yıllık sağkalımın %43'e karşı %28 olduğunu buldular. Sırasıyla %, %11'e karşı %19 ve %1'e karşı %3.

Daha yüksek insülinin kolon kanseri riskini artırdığı düşünüldüğünden, A Vitamini etkisinin (daha sonra tümör hücrelerinin büyümesini engelleyen HOXA5'i yeniden etkinleştiren) bir şekilde insülin üretimini yavaşlatma etrafında dönmesi gerekir. "Ulusal Kanser Enstitüsü Dergisi'nde Morales-Oyarvide ve diğerleri tarafından yayınlanan bir çalışmada, araştırmacılar, en yüksek "diyet insülin yüküne" sahip olan evre III kolon kanseri hastalarının - vücut tarafından yanıt olarak üretilen insülin seviyesi olduğunu buldular. diyete - en düşük yüke sahip hastalara göre nüksetme veya kolon kanserinden ölme olasılığı İKİ KAT daha fazlaydı.Araştırmacılar, eğilimin fiziksel aktivite düzeyine bakılmaksızın devam ettiğini ve özellikle obez olan hastalarda güçlü olduğunu buldu.

Bu nedenle, esas olarak, daha yüksek insülin kolon kanserinden ölümlerde çok güçlü bir faktör olduğundan, A Vitamini/HOXA5 aktivasyon süreci gibi herhangi bir hafifletici etki, bu yüksek insülin yükü ile ilgili bir tersine dönüş ile ilgili olmalıdır. Kolon kanserini tersine çeviren beta karoten yoluyla A Vitamini'ni anlamlandırmak için, vücuttaki insülin tepkisini azaltmak için şeker/beta karoten/A Vitamini gerektiği sonucuna varılmalıdır. İnsülin genellikle vücut tarafından şekere tepki olarak salındığından, insülin tepkisini azaltmak için şeker kullanımının değerlendirilmesi bir çelişkidir. Ancak 2016 yılında yapılan "Şeker, Tuz ve Distile Suyun Beyaz Kan Hücreleri ve Trombosit Hücreleri Üzerindeki Etkileri" başlıklı bir çalışmada araştırmacılar, beyaz kan hücresi sayısının yemekten hemen sonra birkaç saat(2 - 6) düştüğünü bulmuşlardır. tatlılar Bu nedenle, bunu yüksek beyaz kan hücresi sayısına eşit olan yüksek insülin ve dolayısıyla kolon kanseri için kötü prognoz ile birlikte kullanırsak, şeker ihtiyacını ve beta karotenin (A Vitaminine dönüşmek için) uygun emilimini tamamen tersine çevirebiliriz. Bunlar, şekerin geçici olarak beyaz kan hücresi sayısını düşürmesi ve böylece kolon kanseri için insülin tepkisini ve ölüm oranını geçici olarak düşürmesi gerçeğine kadar kolon kanserine neden olur. Diyabet, bu durumda, ancak insülin yanıtı düşükse kolon kanseri riskini azaltacaktır. Bazı tip 2 diyabetlerde, insülin duyarlılığı azalırken (yani hücreler kandan şeker emmezler), pankreas hala kan dolaşımına büyük miktarda insülin üretir. Bu senaryoda, tip 2 kolon kanseri riskini artırır. Pankreas tarafından insülin üretimi eksikliği ile birlikte insülin duyarlılığı azalırsa, o zaman tip 2 diyabet, bu durumda, kolon kanseri riskini azaltacaktır.

Özetlemek gerekirse, beyaz kan hücreleri açısından sağlığın yanlarının nasıl sıralandığını hayal edebiliriz. Aşağıda, şu ana kadarki yazılardan mantıksal olarak tahmin edebileceğimiz bir düzen var. Bir taraftan herhangi bir faktörün diğer taraftan herhangi bir faktöre karşı çıkabileceği noktaya kadar temelde birbirine zıt 2 tarafımız var. Örneğin, sağlığın ikinci tarafından gelen grip/koronavirüs, Kanser üzerinde birinci taraftan karşıt bir etki oluşturacaktır.

Sağlığın birinci tarafı
Tip 1 interferon yanıtı
Yüksek beyaz kan hücresi
Yüksek kan insülini
Kanser
Mide sorunları
E Vitamini
Orak hücre anemisi
Ebola-evre 2

Sağlığın ikinci tarafı
antikor oluşumu
Düşük Beyaz kan hücresi
Düşük kan insülini
grip/koronavirüs belirtileri
A vitamini (beta karoten, şeker)
Sıtma

E Vitamini daha yüksek beyaz kan hücrelerinin yanında olduğu için, E Vitamini'nin grip/koronavirüs benzeri semptomlarla ilgili herhangi bir hastalığı bozabileceğini (genellikle A Vitamininin (beta karoten) aşırı iddiasının bir göstergesi) tahmin edebiliriz. mide-bağırsak/kan damarı/kan inceltme sorunları ile ilgili herhangi bir hastalık. Bir taraftan bir faktör vücuda sunulurken, o taraftan başka bir faktör zaten mevcutsa, semptomlar kötüleşir.

Oluşturulan bir liste ile CMV yeniden aktivasyonunun nerede sıralanacağını tahmin edebiliriz. Şiddetli COVID-19'dan muzdarip olanlar için bir numaralı ölüm nedeni, Akut Solunum Sıkıntısı Sendromundan (ARDS) kaynaklanan solunum yetmezliğidir. Araştırma, ARDS'nin pıhtılaşma aktivasyonu ile yakından bağlantılı olduğunu bulmuştur. COVID-19 hastalarında artan trombotik risk henüz tam olarak açıklanmamış olsa da, COVID-19 patogenezindeki pıhtılaşma aktivasyonunun CMV reaktivasyonu ile ilişkili olduğunu varsayıyorum. Sonuç, şiddetli COVID 19'dan muzdarip olanlar arasında trombositopeni prevalansında artış veya düşük trombosit sayısıdır. Düşük trombosit sayısı kanama riskini gösterirken, çoğu

COVID-19 ölümü daha yüksek tromboembolizm riskiyle bağlantılıdır. Bazı çalışmalar, daha yüksek ortalama trombosit hacmini (MPV) COVID-19 ciddiyeti ile ilişkilendirmiştir. Bu, bir süredir araştırmacıları şaşırttı. Çalışmalar, hem artan ortalama trombosit hacminin (MPV) hem de azalan trombosit sayısının COVID-19 hastalığının şiddeti için biyobelirteçler olarak hizmet etmesi gerektiği sonucuna varmıştır. Trombosit sayısı, kanımızda dolaşan trombosit sayısını, ortalama trombosit hacmi (MPV) ise trombositlerin büyüklüğünü gösterir. MPV ayrıca trombositlerin aktivitesiyle de bağlantılıdır. Daha yüksek MPV, trombositlerin daha yüksek reaktivitesi ile ilişkilidir - daha büyük trombositler daha reaktif kabul edilir. Aspirin ve varfarin gibi kan sulandırıcılar trombosit sayısını azaltabilirken, trombosit boyutunu etkilemek için çok az şey yaparlar. (Aspirin, MPV'yi düşürmede Warfarin'den daha etkilidir). Aslında COVID-19 hastalarının tedavi protokollerinde kullanılan varfarinin hem trombosit sayısını düşürdüğü hem de MPV'yi artırdığı yapılan çalışmada bulundu.

Araştırmacılar ayrıca şiddetli COVID-19'da ortalama trombosit hacminin yüksek olma ihtimalinin neredeyse %60 olduğunu buldular. Şiddetli COVID-19 vakalarında pıhtı riskinin kanama riskinden daha yüksek olması nedeniyle, solunum yetmezliğinden kaynaklanan ciddi COVID-19 ölüm riskinin biyobelirteci olarak yüksek ortalama trombosit hacminin (MPV) düşük trombosit sayısından ayrılması gerektiğini varsayabiliriz. Öte yandan düşük trombosit sayısı, gastrointestinal (GI) kanamadan kaynaklanan ciddi COVID-19 ölüm riski için biyobelirteç görevi görmelidir. Bu, doktorların ciddi vakalarda ikisi arasındaki ince çizgide gezinmek zorunda kalmasına neden olur. Bu, trombositlerin boyutunu ve hiperaktivitesini azaltmaya yönelik tedavinin, solunum sıkıntısını hafifletme aracı olarak hizmet etmesi gerektiği, ancak aynı zamanda GI kanama riskini artırması gerektiği sonucuna varmamıza yardımcı olur. Dolaşım sırasında, trombositler çeşitli uyaranlara karşı reaktiftir. Trombosit sayısının düşük olduğu yüksek MPV, trombositlerin sayıca az da olsa çok hızlı dolaşıma girdiğini ve kan pıhtılaşması riskini artırdığını gösterir. E vitamininin hem trombosit sayısını hem de trombosit reaktivitesini azalttığı gösterilmiştir.

ARDS COVID-19 vakalarının yaklaşık %2-3'ünde gastrointestinal kanama görülür. Daha yüksek mortalite riski ve uzamış hastanede kalış süresi ile bağımsız olarak ilişkilidir. Bununla birlikte, birkaç vaka çalışması, ARDS hastalarında gastrointestinal kanama başlangıcından önce solunum semptomlarında bir iyileşme olduğunu göstermiştir. Daha yüksek gastrointestinal kanama riskinin daha düşük solunum sıkıntısı riski ile ilişkili olduğunu varsayıyorum. ARDS hastası gastrointestinal kanama sorunlarından muzdarip olsa da, ciddi solunum semptomlarının gastrointestinal kanamanın başlamasından hemen önce düzeldiği gözlemlenebilir. Şiddetli COVID-19'da, kan sulandırıcı ilaçların uygulanması yoluyla trombozla ilişkili riski ortadan kaldırmakla GI kanamayla ilişkili riski artırmak arasında gidilecek ince bir çizgi vardır.

"COVID-19 ile İlişkili Akut Solunum Sıkıntısı Sendromu Olan Bir Hastada Duodenal Kanama" başlıklı bir çalışmada, akut solunum yetmezliği ile hastaneye başvuran 71 yaşındaki bir erkek hastada şiddetli gastrointestinal ve barsak şikayetleri gelişirken solunum semptomlarında belirgin iyileşme görüldü. Kan sulandırıcı kullanımından kaynaklanan hemorajik komplikasyonlar ve karın zarının kızarıklığı ve şişmesi olan Peritonit nedeniyle öldü. Bu, bir rahatsızlığın diğerinden rahatlama sağladığı hipotezimi doğrulayan bir vaka. Onun durumunda mide-bağırsak/kan inceltme sorunları solunum semptomlarını iyileştirdi, ancak daha sonra ölümüyle sonuçlandı. "COVID-19'lu Bir Hastada Olağandışı Bir Gastrointestinal Kanama Vakası" başlıklı başka bir çalışmada araştırmacılar, COVID-19 hastasının yüksek INR düzeylerinin solunumu üzerinde koruyucu bir etkiye sahip olduğunu kabul ettiler. Warfarin toksisitesinden muzdaripti, ancak bunun onu COVID-19'un daha olumsuz solunum belirtilerinden koruyan bir faktör olduğu kabul edildi.

Wuhan'da COVID-19 ile kritik bir şekilde hasta olan ancak Gastrointestinal kanamadan ölen birinin vaka çalışması da vardı. "ARDS ile hızla ilerleyen ve solunum durumu düzeldikten sonra bile masif GIB nedeniyle nihayetinde ölen COVID-19'lu kritik hasta hastayı sunduk." Çalışmanın adı "Yüksek riskli predispozan faktörlere sahip şiddetli bir koronavirüs hastalığı 2019 hastası, masif gastrointestinal kanamadan öldü: bir vaka raporu" idi ve rahatsızlıkların diğer rahatsızlıklara nasıl karşı koyabileceğinin ve bunlarla nasıl savaşabileceğinin bir başka doğrulaması.

Daha fazla verinin, Gastrointestinal (GI) kanama sorunlarının başlamasından önce solunum semptomlarındaki bir iyileşmeyi doğrulayabilmesi çok ilginç olurdu. En şiddetli vakalarda doktorlar, INR seviyelerini terapötik aralığın ötesine getirerek ağır hasta ARDS COVID-19 hastalarının prognozunu iyileştirebilir. Bu, ağır hasta bir ARDS COVID-19 hastasının GI kanama risk faktörlerini artıracak, ancak aynı zamanda solunum sıkıntılarını hafifletme ihtimalini de artıracaktır... eğer hipotezim doğruysa. GI kanama sorunlarının ortaya çıkacağı bu ince çizgi, ölümü önlemek için zamanında K Vitamini veya bir tür pıhtılaşma önleyici müdahale ile karşılanmalıdır. INR, kanın pıhtılaşması için geçen süreyi ölçer; daha yüksek bir INR, kanın pıhtılaşmasının daha uzun sürdüğü anlamına gelir. Kan sulandırıcılar INR seviyelerini yükseltme eğilimindedir. Yüksek INR'nin COVID-19'da hastalık şiddeti ve hayatta kalmama ile ilişkili olduğu çok sayıda çalışmada bulunmuştur. Bununla birlikte, ARDS hastalığının ilerleme hızının INR'yi aşması, daha yüksek mortalite sonuçlarının nedeni olabilir. Şiddetli COVID-19 vakalarında INR'yi terapötik aralığın ötesine yükselterek, trombosit boyutunu veya ortalama trombosit hacmini (MPV) azaltmak ve böylece solunum semptomlarını iyileştirmek mümkün olabilir. Aspirin ve Warfarin gibi kan sulandırıcıların MPV'yi düşürmeyle ilişkilendirilememesinin nedeni bu olabilir - dozajlar yeterince yüksek olmayabilir. Trombosit agregasyonunu inhibe etmelerine rağmen, testlerde kullanılan dozaj seviyesinde trombosit aktivasyonunu tam olarak inhibe ettikleri bulunmamıştır.

Terapötik INR aralığı 2,0-3,0'dır. Miyokard enfarktüsü hala meydana geldiğinde, Warfarin ile ikincil koruma protokolü olarak terapötik aralık 2,5 -3,5'e çıkarılır. Çalışmalar, 4.0'ın ötesine geçmenin terapötik bir fayda sağlamadığını ancak kanama riskini artırdığını göstermiştir. Bununla birlikte, en şiddetli ARDS COVID-19 vakaları için, ortalama trombosit hacmini düşürmek ve solunum semptomlarını iyileştirmek için aralığın 4.0 veya üzerine çıkarılması gerekebilir. Dozları ve GI riskini artırmanın trombosit aktivasyonunu ve trombosit boyutunu etkilemesi olasıdır. Gastrointestinal kanama, düşük ortalama trombosit hacmi ile ilişkilendirilmiştir. Bu nedenle, artan GI kanama riski, azalan MPV ve trombositlerin azalan reaktivitesi ile de ilişkilendirilmelidir. Bu nedenle, fiziksel semptomları tahsis etme listesine gelince, 2. tarafa yüksek MPV ve sitomegalovirüs ekleyebilir ve 1. tarafa düşük MPV yerleştirebiliriz.

Sağlığın birinci tarafı	Sağlığın ikinci tarafı
Tip 1 interferon yanıtı	antikor oluşumu
Yüksek beyaz kan hücresi	Düşük Beyaz kan hücresi
Yüksek kan insülini	Düşük kan insülini
Kanser	grip/koronavirüs belirtileri
Mide sorunları	A vitamini (beta karoten, şeker)
E Vitamini	Sıtma
Orak hücre anemisi	yüksek ortalama trombosit
Ebola-evre 2	hacmi (MPV)
düşük ortalama trombosit hacmi (MPV)	Sitomegalovirüs

Sonuç olarak, yüksek ortalama trombosit hacmi (MPV) patolojisinin COVID-19 hastalarında kan pıhtılarının tedavisinde büyük bir ikilem yarattığı açıktır. Anti-koagülan önlemlerin kullanılması, COVID-19 patogenezinde yüksek MPV'nin düşük trombosit hacmi veya zaten ince bir kanla gelmesi nedeniyle hastayı kanama ve gastrointestinal komplikasyon riskine sokar, ancak bu trombositler oldukça reaktiftir ve bu da riski artırır. pıhtılar da. Bu nedenle, trombosit aktivasyonunu azaltmak için kan sulandırıcılar kullanarak kanın pıhtılaşma sorununu düzeltmeye çalışmak, zaten düşük olan trombosit hacmini yalnızca daha da şiddetlendirir ve bu da kanama riskini yalnızca daha da artırır. Diğer çözüm, homosisteini bu muammayı yaratan suçlu olarak tanımlamaktır. Bunu yaparken çözüm, homosistein düzeylerini düşürmenin bir yolunu bulmak olur. Ancak şiddetli COVID-19 sırasında kan sulandırıcı solunum fonksiyonunu koruyucu etkisi göz ardı edilmemelidir.

E vitamininin anti-viral ve anti-pıhtılaşma özellikleri, şiddetli COVID-19 vakalarında INR seviyelerini yükseltmek için kullanılabilir ve aynı zamanda COVID-19 hastalarında homosistein seviyelerini ve MPV seviyelerini düşürebilir. Ancak, kontrol edilemeyen pıhtılaşma bozukluğuna neden olabileceğinden, E Vitamini varfarin gibi mevcut pıhtılaşma önleyici ilaçlarla birlikte uygulanmamalıdır. Ancak aspirin bir istisna olabilir. Aspirin ile kombine edildiğinde Vitamin'in Aspirin'in etkinliğini artırdığını gösteren çalışmalar var. Aspirin ayrıca MPV'yi düşürmede varfarinden daha etkilidir. ARDS hastalığının ilerlemesinin daha yüksek dozda E Vitamini gerektireceğini varsayın - solunum sıkıntısının hafifletilebilmesi için gastrointestinal kanama için risk faktörlerini artırmaya yetecek kadar. INR terapötik aralığını hafifçe 4.0'a yükseltmek, daha güvenli bir erken önlem olarak yeterli olabilir. Hastanın daha sonra gastrointestinal kanama riskiyle mücadele etmek için Vitamin antagonistleri ile tedavi edilmesi gerekecektir. K vitamini genellikle pro-pıhtılaşma terapileri için standarttır ve aynı zamanda E Vitamininin anti-pıhtılaşma aktivitelerine karşı bir antagonist olarak kabul edilir.

COVID-19 enfeksiyonunda nefes darlığı ve yorgunluk sorunları için potansiyel bir çare olarak E Vitamini, 2020'de İran'da test edildi. Oradaki araştırmacılar, C ve E Vitamininin hastanede yatan ciddi olmayan Covid hastalarında yalnızca hafif ve önemsiz bir fayda sağladığını buldu: "Hastaneye yatırılmış şiddetli olmayan COVID-19 hastaları rastgele iki gruba ayrıldı: müdahale ve kontrol. Müdahale grubu, ulusal standart tedavi rejimine (hidroksiklorokin) ek olarak günde 1000 mg oral C Vitamini ve günde 400 IU oral E Vitamini alacaktı. Kontrol grubu, tek başına standart hidroksiklorokin rejimini alacaktı. Test, hastanede yatış süresi boyunca hastaneden taburcu olana veya yoğun bakım ünitesine kabul edilene kadar ölçüldü. "Hastaların tedavi sonundaki klinik tepkisi (iyileşme, iyileşme veya başarısızlık), hastanede kalış süresi ve ölüm oranı kaydedildi ve gruplar arasında karşılaştırıldı."

Bulgular: "Çalışma süresince müdahale grubundaki üç hastada (%7,89) ve kontrol grubundaki beş hastada (%14,71) tedavi başarısızlığı görülürken, diğer tüm hastalarda klinik düzelme görüldü (P=0,380). Hastanede kalış süresi müdahale grubunda (7,95 ± 3,18 gün) kontrol grubuna göre (8,03 ± 2,83 gün) daha kısaydı; ancak, fark istatistiksel olarak anlamlı değildi (P = 0.821). Ayrıca, çalışma sırasında her iki grupta da hiçbir hasta ölmedi." C vitamininin, E vitamininin kanı oksijenlendirme kapasitesini sınırlamış ve dolayısıyla etkisini azaltmış olabileceğini varsaymak istiyorum. C Vitamini, B12'nin doğal bir antagonisti olduğundan ve B12, oksijen taşınması için gerekli olan kırmızı kan hücrelerinin üretilmesine yardımcı olan şey olduğundan, C Vitamininin bu oksijen mekanizmasına bir şekilde karşıt olacağını tahmin ediyorum. Her gruptakilerin kan oksijen düzeyi üzerindeki etkisi dikkate alınarak benzer bir çalışmanın tek başına E Vitamini ile tekrar yapılmasını rica ederim. Bu talep, tıbbi oksijen ekipmanı kullanılmadan nefes almayı iyileştirmeye yönelik yöntemleri araştırmak ve böylece diğer acil durumlar için hastanelerde yer açmak amacıyla yapılmıştır. Bu aynı zamanda COVID-19 ile enfekte olan ancak aşılama konusunda tereddütlü olanlar için ev tabanlı bir protokol oluşturmaya yardımcı olma girişimidir. Bu çalışma, E Vitamini ve lipoik asidin, ancak C Vitamininin kan oksijenlenmesini iyileştirdiğini bulmuştur.

Ivermectin ve Hydroxychloroqiue, semptomları iyileştirmede bir miktar başarı ile kullanılmıştır, ancak bu ilaçlar, etkinliklerine rağmen kolayca bulunamamaktadır. Ayrıca ana akım medya tarafından siyasi nedenlerle cesaretleri kırılıyor ve bu da kullanımlarını savunmayı daha da zorlaştırıyor. COVID-19'dan kaynaklanan nefes darlığı ve yorgunluk sorunlarıyla başa çıkmak için sürekli olarak atılımlar bulma çabası, hastanelerde oksijen sıkıntısı olasılığını azaltmaya yardımcı olacaktır.

Pandeminin başladığı sıralarda, E Vitamini EVALI, e-sigara veya elektronik sigara kullanımı ile ilişkili akciğer hasarı ile elektronik sigaranın neden olduğu bir hastalık arasında ilişkilendirilmiştir. Ciddi akciğer hasarı olan çok sayıda insan hastanelere kaldırıldı. Çalışmalar, sorunu Vitamin E Asetat ile ilişkilendirmiştir. Ancak E Vitamininin 2 ana formu olduğunu belirtmek isterim. Biri alfa-Tokoferol, diğeri gama-Tokoferol. Alfa tokoferol daha iyi akciğer fonksiyonu ile ilişkilendirilirken, gama-Tokoferol daha düşük akciğer fonksiyonu ile ilişkilidir.

Indiana Üniversitesi Tıp Fakültesi Pediatri Profesörü Joan Cook-Mills, PhD ve Dr. Rajesh Kumar liderliğindeki Allerji ve Klinik İmmünoloji Dergisi'nde yayınlanan bir araştırma, farklı E Vitamini formlarının erken çocukluk döneminde akciğer gelişimi üzerindeki etkilerini araştırdı. Bazı E Vitamini formlarının farklı işlevleri ve etkileri olduğunu bulmuşlardır.

"Grup, 600'den fazla hamile anne ve çocuklarından alınan plazma örneklerini, alfa ve gama-tokoferol adı verilen iki E Vitamini formunu ve erken çocukluktan orta çocukluk dönemine kadar akciğer fonksiyonunu ölçmek için analiz etti." Vitaminin her iki formu da anne sütünden yemeklik yağlara kadar farklı gıdalarda bulunur. Alfa-tokoferol ve gamatokoferolün karşıt etkilerini buldular. Alfa-tokoferol daha iyi akciğer fonksiyonu ile ilişkilendirilirken, gama-tokoferol daha düşük akciğer fonksiyonu ile ilişkilendirildi.

Gama-tokoferol soya fasulyesi, mısır ve kanola yağlarında bulunur. Vaping yağlarında da bulunur. Yukarıda belirtilen çalışma, EVALI ile hastalananlarda akciğer hasarına neden olan ana bileşen olarak E Vitamini'nin gama-tokoferol olduğuna işaret edebilir. Bu elektronik sigara sorunu, E Vitamininin Covid semptomları üzerindeki etkisine yönelik etkili araştırmaları muhtemelen kısıtladı. Covid'den kaynaklanan nefes alma ve yorgunluk sorunlarına olumlu etkisi olduğunu öne sürdüğüm E Vitamini d-alfa tokoferol veya jel-kap formunda izole edilmiş dl-alfa tokoferol. Jel kapsül yutulmak yerine çiğnenirse, E Vitamininin daha kesin bir şekilde emilmesini sağlayabilir.

Halihazırda formüle edilmiş bilgileri kullanarak kalp krizlerine ve onların sağlık yönlerine geçiş yapabiliriz. 2005 yılında ülke çapında yapılan bir araştırma, kalp krizlerinin sadece beyaz kan hücresi sayısını ölçerek tahmin edilebileceğini buldu. "Federal olarak desteklenen Kadın Sağlığı Girişimi'nin bir parçası olarak, Amerika Birleşik Devletleri'nin dört bir yanındaki tıp merkezlerindeki müfettişler, 50 ila 79 yaşları arasındaki 72.242 postmenopozal kadın hakkında bilgi topladı. Çalışmanın başlangıcında hiçbirinde kalp ve damar hastalığı yoktu. Altı yıl boyunca 1.626 kalp hastalığı ölümü, kalp krizi ve inme meydana geldi.litre kanda 6,7 milyardan fazla akyuvar bulunan kadınların ölümcül kalp hastalığı riski, litre başına 4,7 milyar hücre veya daha düşük olan kadınlara göre iki kattan fazlaydı. 6,7'lik bir sayı normalin üst aralığında kabul edilir, bu nedenle "normal"in yeniden tanımlanması gerekebilir."

Önceki tahminimize göre, bu çalışma, kalp krizlerinin şemada gösterildiği gibi sağlığın birinci tarafına yerleştirileceğini, yani birinci taraftaki diğer faktörlerin kalp krizi olasılığını artıracağı ve yan taraftaki faktörlerin kalp krizi olasılığını artıracağı anlamına gelir. 2 azaltacaktır. Kalbe giden kan akışı kalp kasının bir kısmına zarar verecek kadar kısıtlandığında meydana gelen kalp krizlerine kıyasla, Kardiyojenik Şok, kalp kası yeterli kan ve oksijeni pompalayacak kadar güçlü atmadığı zaman gerçekleşir. Her ikisi de kalbi ilgilendirdiğinden, kardiyojenik şok ve kalp krizini sağlığın aynı tarafına yerleştirmek kolaylaşır. Bununla birlikte, araştırmalar, kalp krizlerine karşıt faktörlerin, kalp krizlerinden farklı olarak olası kalp durması olaylarını teşvik etme eğiliminde olduğunu göstermiştir, çünkü kalp durması, kalbin aniden atmayı durdurduğu elektriksel bir sorundur. " Fulminan tip 1 diyabetin başlangıcında ani ölüm ve kalp durması için risk faktörleri" başlıklı 2015 tarihli bir araştırmaya göre, düşük beyaz kan hücresi sayımı sunan tip 1 diyabetin başlangıcı, şoktan kaynaklanan ani kalp durmasıyla da ilişkilendirilmiştir. Mellitus."

Bir enfeksiyona karşı uygunsuz bir bağışıklık tepkisi olan sepsis, aynı zamanda düşük beyaz küre sayısıyla da bağlantılıdır ve kardiyojenik şok olasılığını artırır. Kalp problemlerinin çeşitli doğaları nedeniyle, yüksek beyaz kan hücresi sayısı, kardiyak ile ilgili sorunlar ve düşük beyaz kan hücresi sayısı/kardiyak ile ilgili sorunlar arasında ayrım yapabilmek için kalp problemlerini kan basıncıyla uyumlu hale getirmem gerekecek. Bu, hipertansif faktörlerle meydana gelen ani kalp durmasını ve hipotansif faktörlerle meydana gelen ani kalp durmasını anlamlandırmak için yapılır. Şu anda kalp krizlerini kardiyojenik şoktan ve kardiyak arrestten ayırabiliyoruz ve yüksek tansiyon/yüksek beyaz küreyi kalp krizlerine ve düşük tansiyonu, düşük beyaz küreyi kardiyojenik şoka ve kalp durmasına bağlayabiliyoruz. Bu, vücudumuzu birinin şansını artıracak bir konuma getirmenin, diğerinin şansını azaltmakla eşit olması gerektiği anlamına gelir. Kolesterolü düşürmek için kullanılan ve tansiyonu da düşürdüğü tespit edilen statin ilaçlarının grip aşılarının grip üzerindeki etkisini azalttığı söyleniyor. Bunun nedeni, grip tedavisinin, statinlerin yaptığının aksine kan basıncını yükselttiğinin bulunmasıdır. Teorik olarak bu, kan basıncını yükseltmenin grip/koronavirüsle savaşmanın önemli bir bileşeni olduğu ve bir yan etki olmadığı anlamına gelir. Bu, sağlığın bir tarafına yüksek tansiyonu koyarken diğer tarafına grip/koronavirüsü koyarsak, diğer sayfadaki bir taraf/iki taraf düzenimizle uyumlu olacaktır. Aynı zamanda, bir taraftaki herhangi bir faktörün diğer taraftaki bir faktöre karşı koyabileceği hipoteziyle de uyumlu olacaktır. Bu düzene göre, statinler kan basıncını düşürdüğü için, grip/koronavirüs semptomları ve düşük kan basıncı sağlığın aynı tarafında olacağından, otomatik olarak grip/koronavirüs semptomlarını teşvik edecektir. Araştırmacılar, "Statin kullanımının grip ve grip aşısının etkinliği üzerindeki etkisi" başlıklı 2021 tarihli bir araştırma, "Aşılamadan bağımsız olarak statin kullanıcıları arasında önemli ölçüde daha yüksek grip riski olduğunu" buldu. Statinler, immünomodülatör mekanizmalar yoluyla influenza riskini artırabilir veya bu, influenza için diğer risk faktörleri ile karıştırılabilir. Statin kullanan kişilerin grip aşısı olması önemlidir." American Journal of Hypertension'ın 17. cildinde hipertansiyonda beyaz küre sayısının arttığı bulunduğuna göre, yüksek tansiyonun sağlıkla aynı yönde gitmesi gerekirdi. yüksek beyaz kan hücresi sayımı gibi. Bu nedenle, hipotansiyonda (düşük tansiyon) bunun tersinin söz konusu olacağı değerlendirilebilir, bu nedenle statinler grip / koronavirüs semptomlarının yanında yer alır. Birçoğu, grip/koronavirüs semptomları olan statin kullanımında kas ağrısı ve güçsüzlük bildirmiştir. Statinler, grip/koronavirüs ile aynı sağlık tarafında olan daha yüksek kan şekerleri ve artan diyabet riski ile ilişkilendirilmiştir. Ayrıca depresyon, hafıza kaybı ve intiharla da ilişkilendirilmiştir, bu da muhtemelen bu nitelikleri grip/koronavirüs ile aynı tarafa yerleştirecektir. İşte sağlık düzeninde bir güncelleme:

Sağlığın birinci tarafı	Sağlığın ikinci tarafı
Tip 1 interferon yanıtı	antikor oluşumu
Yüksek beyaz kan hücresi	Düşük Beyaz kan hücresi
Yüksek kan insülini	Düşük kan insülini
Kanser	Düşük kan basıncı
Mide sorunları	grip/koronavirüs belirtileri
E Vitamini	A vitamini (beta karoten, şeker)
Orak hücre anemisi	Sıtma
Ebola-evre 2	statinler
düşük ortalama trombosit hacmi (MPV)	yüksek ortalama trombosit hacmi (MPV)
Kalp krizi	Sitomegalovirüs
Mutluluk (yüksek dopamin)	Kardiyojenik şok ve Kardiyak Arrest
	Depresyon (düşük dopamin)

Yinelemek gerekirse, hipotez, bir taraftaki her faktörün diğer taraftaki herhangi bir faktöre karşı savaşabileceğidir. Depresyon, statin kullanımıyla bildirildiği için sağlığın ikinci tarafına oturur. Bu, dopaminin depresyondan nasıl kurtulduğu ve ayrıca dopaminin kardiyojenik şoku tersine çevirmek için nasıl kullanıldığı ile aynı çizgidedir. D Vitamini aynı zamanda daha yüksek bir dopamin seviyesine karşılık gelen yüksek ruh hali ile de ilişkili olduğundan, D Vitamini de birinci tarafa gider. Magnezyum, bağlantılı olduğu için daha düşük kan basıncı, ikinci tarafa giderdi. Kalp krizi için artmış bir risk faktörü olarak tutulan kalsiyum birinci tarafa giderdi. Yani, birinci ve ikinci tarafları az önce bahsettiklerimizle güncellersek, bedeni daha iyi anlamaya başladık.

Sağlığın birinci tarafı	Sağlığın ikinci tarafı
Tip 1 interferon yanıtı	antikor oluşumu
Yüksek beyaz kan hücresi	Düşük Beyaz kan hücresi
Yüksek kan insülini	Düşük kan insülini
Kanser	Düşük kan basıncı
Mide sorunları	grip/koronavirüs belirtileri
E Vitamini	A vitamini (beta karoten, şeker)
Orak hücre anemisi	Sıtma
Ebola-evre 2	statinler
düşük ortalama trombosit hacmi (MPV)	yüksek ortalama trombosit hacmi (MPV)
Kalp krizi	Sitomegalovirüs
Mutluluk (yüksek dopamin)	Kardiyojenik şok ve Kardiyak Arrest
D vitamini	Depresyon (düşük dopamin)
Kalsiyum	Magnezyum

Birinci taraftaki her şey temelde birbirine bağlıdır ve 2. taraftaki her şey temelde birbirine bağlıdır. C vitamini ve şeker benzer bir yapıya sahip olduğundan ve C vitamininin kolesterolü düşürdüğü tespit edildiğinden, C vitamini sağlığın ikinci tarafına gider.

Bu, bağımsız bir besin maddesi olarak C vitamininin grip ve koronavirüs enfeksiyonunun erken aşamalarını biraz ilerletebileceği için haklıdır. C vitamini, glikoza (şeker) çok benzer bir moleküler yapıya sahiptir ve bu, hem yüksek C Vitamini seviyelerinin hem de yüksek glikoz seviyelerinin, COVID-19'un akciğerin bağışıklık savunma sistemine saldırması ve daha önce alveolar hücrelere erişmesi için ideal koşulları sağlaması olasılığını bırakır. insan ACE2 reseptörüne bağlanma. Araştırmalar, yüksek glikoz seviyelerinin virüsün pulmoner hücrelere girmesini ve hızla çoğalmasını sağlayarak pulmoner bir tepkiye neden olduğunu göstermiştir. Bu yanıt, tehditle mücadele etmek için siteye bağışıklık hücreleri gönderen bağışıklık sisteminden kaynaklanır. Sitokinler, yanıtın bir parçası olarak üretilir. Bu sitokinler, hücreden hücreye iletişimden sorumludur ve çok fazla üretilirse sonuç, sitokin fırtınası olarak adlandırılan şeydir. Bu zatürree ve organ yetmezliğine yol açabilir. Çin'in Wuhan kentindeki iki hastanede 119 grip hastasından alınan kan örneklerinin analizini içeren bir çalışma, daha yüksek glikoz seviyelerine sahip hastaların sitokin fırtınasına maruz kalma olasılığının daha yüksek olduğunu buldu. Bulguları, diyabetli hastaların neden sitokin fırtınaları yaşama olasılığının daha yüksek olduğunu ve grip ve koronavirüs enfeksiyonlarında daha kötü sonuçlara sahip olduğunu doğruladı.

Endokrin Derneği'nin (ENDO) 17-20 Mart tarihlerindeki yıllık toplantısında yapılan bir vaka çalışması, yüksek C Vitamini alımının bir sonucu olarak yanlış yüksek kan şekeri okumasına bir örnek sundu. Kan şekerini ölçmek için kullanılan Glükometre cihazı, glikozu C Vitamininden ayırt edemedi. Bu, yanlış bir yüksek kan şekeri okumasına neden oldu. Bununla birlikte, bir kan testi, glikoz seviyelerinin önemli ölçüde düşük olduğunu gösterdi. Aynı şeyin grip ve koronavirüs için de olduğunu varsayıyorum. Virüs vücuda girerken C vitamini veya glikoz arasındaki farkı görmez ve ikisinin de varlığından faydalanır. C vitamini ve glikoz aynı moleküler yapıya sahiptir ve bu virüs için de belirgindir. Çok sayıda çalışma, C vitamininin grip veya soğuk algınlığını önlemek veya tedavi etmek için hiçbir şey yapmadığını göstermiştir. Tek başına bir önlem olarak C vitamininin semptomları şiddetlendirebileceğini ve grip veya koronavirüsleri bozabilecek besinler üzerinde antagonize edici bir etkiye sahip olabileceğini varsayıyorum. Bu nedenle, C vitamininin grip semptomlarıyla savaşabilecek bir şey olduğu konusunda ortak bir fikir birliği olmasına rağmen, yine de her yıl vaka sayısını engellememesinin nedeni bu olabilir.

Şahsen, C vitamininin karaciğer / iştahsızlık sorunlarını hafifletmede en faydalı olduğunu buldum. Magnezyum Oksit'in mide bulantısı/kusma sorunlarını hafifletmek için en faydalı olduğunu buldum. E Vitamini'nin (dl-Alpha tocopherol) yorgunluk gibi erken grip/soğuk algınlığı semptomlarını hafifletmede en faydalı olduğunu buldum. Grip/soğuk algınlığı semptomlarına duyarlılığı artırmak için glikoz/C vitamini buldum. Bulantı/kusma sorunlarına yatkınlığı artırmak için E Vitamini buldum. İştahsızlık sorunlarına duyarlılığı artırmak için Magnezyum Oksit buldum. Kalp/ Yüksek Kolesterol/ Yüksek tansiyon sorunları için Magnezyum Oksit ve C Vitamini kombinasyonunun en faydalı olduğunu gördüm.

Bazı besinler bazı organlarda oksidatif stresi azaltabilirken diğer organlarda da arttırabilir. Birçok kişi, grip semptomlarını tedavi etmek için C Vitamini kullanmanın başarılı olduğunu bildirmiştir. Bu vakaların birçoğunda C vitamini, D vitamini ve Çinko gibi diğer besleyici vitaminlerle birlikte alındı; bunların her ikisi de ilk grip semptomlarını azaltmada C vitamininden daha önemli bir role sahip olabilir. Çeşitli çalışmalarda kullanılan çinko ve diğer vitamin/minerallerin etkileri. Erken grip veya koronavirüs belirtileriyle mücadelede anahtar bileşenin, Glut-1 taşıyıcı proteinin ekspresyonunu yukarı doğru düzenlemek olduğunu varsayıyorum. Bu, vücuttaki dolaşımdaki kan şekeri ve C vitamini seviyelerini düşürerek olur. Hem C Vitamini hem de glikoz, Glut-1 reseptörünü kullanarak hücrelere girer ve hem C Vitamini hem de glikoz kan dolaşımında yüksek seviyelerde dolaşmaya devam ettiği sürece, Glut-1'in ifadesi aşağı regüle olmaya devam edecektir.

Çalışmalara göre, yüksek dolaşımdaki kan şekeri (hiperglisemi) ve yüksek dolaşımdaki C Vitamini, Glut-1'in ekspresyonunu azaltabilir. Düşük dolaşımdaki kan şekeri (hipoglisemi) ve düşük dolaşımdaki C Vitamini, Glut-1'in ifadesini düzenleyebilir. (Hidroksiklorokin, Glut-1 yukarı regülasyonu için gerekli olan daha düşük glikoz ortamını indüklemede en iyisi olabilir.) COVID 19'un Glut 1 ekspresyonunu aşağı doğru düzenlediği bulunmuştur.

Monositler ve makrofajlar, COVID-19 hastalarının akciğerlerinde bulunan zenginleştirilmiş bağışıklık hücresi tipleridir. İnfluenza veya koronavirüs ile enfekte olduklarında, bu hücreler metabolizmalarını adapte eder ve yüksek oranda glikolitik hale gelir. Hücreler glikozu yüksek oranda enerjiye dönüştürmeye başladı. Bu viral replikasyonu kolaylaştırmaya yardımcı olur. Böylece virüs replikasyonu, dolaşımdaki kan glukozuna ve C Vitaminine ve buna karşılık gelen Glut-1 ekspresyonunun aşağı regülasyonuna bağımlı hale gelir. C vitamininin, bağışıklık tepkisinde yer alan mekanizmaların sonraki etkilerini hafifletmeye yardımcı olabileceği kesinlikle gözlemlenebilir. Karaciğerin uzun süreli grip veya koronavirüs tedavisinden kurtulmasına kesinlikle yardımcı olabilir. Ancak sonuçta, C vitamininin moleküler yapıdaki benzerlikler yoluyla şekere olan bağlantısı nedeniyle, C vitamininin sağlığın ikinci yanına yerleştirilmesi haklıdır.

Bu bizi hastaneler tarafından kanama sorunları olan hastaları tedavi etmek için kullanılan K vitaminine getiriyor. K vitamininin kan pıhtılaştırıcısı ve vVtamin E'nin kanı sulandırıcı olması nedeniyle K vitamini E vitamininin bir antagonisti olduğundan, K vitamini ikinci tarafa gider. B12 vitamini akciğer kanseri ile bağlantılıdır ve C vitamininin doğal bir antagonistidir. Bu, B12 vitamininin birinci tarafa katılmasını kolayca haklı çıkarır. B12 vitamini, yüksek homosistein seviyelerini tersine çevirmek için birincil besindir.

COVID-19 hastalarında homosistein düzeylerini düşürmek, ortalama trombosit hacmini (MPV) düşürmenin ve kan pıhtılaşması riskini azaltmanın en etkili yolu olabilir. Araştırmalar, hem yüksek trombosit sayıları hem de yüksek homosistein düzeylerinin kan pıhtısı riskinin belirteçleri olduğunu bulmuştur. Kan sulandırıcılar trombosit sayısını düşürmeye yardımcı olurken, trombosit hacmi üzerinde yalnızca minimal bir etkiye sahip oldukları bulunmuştur. Bunun nedeni homosistein seviyeleri olabilir.

Homosistein, protein yapmak için kullanılan bir amino asittir. Diğer bir amino asit olan metiyonin vücutta parçalandığında oluşur. Herkesin kanında bir miktar homosistein vardır. Bununla birlikte, homosistein seviyeleri yükseldiğinde, kan damarlarında tahrişe neden olabilir. Yüksek homosistein seviyeleri, arterlerin sertleşmesi, kalp krizi, inme ve venöz tromboz riskinin arttığını gösterir. CDC'ye göre Pfizer aşısı, 65 yaş üstü kişilerde iskemik inme riskini artırıyor. "Çince'de homosistein ve iskemik inme alt tipleri arasındaki ilişki" başlıklı bir Çin araştırması, Çinli iskemik inme hastalarının kontrol grubuna göre önemli ölçüde daha yüksek homosistein seviyelerine sahip olduğunu buldu. , serum homosistein düzeylerinin Çinlilerde iskemik inme için bir risk faktörü olabileceğini düşündürmektedir. Bu, CMV reaktivasyonunun hiperhomosisteinemiye ve felç, kan pıhtılaşması ve diğer nörolojik semptomlar riskini artıran yüksek MPV seviyelerine yol açtığı fikrini desteklemeye yardımcı olur. Homosistein seviyelerinin düşürülmesi, homosisteinden metiyonin rejenerasyonunu gerektirir ve bu süreç Vitamin B12'ye (kobalamin) bağlıdır. B12 Vitamini esasen homosisteini tekrar metiyonin ve vücudun ihtiyaç duyduğu diğer amino asitlere ayırır. COVID-19 tedavisi sırasında intravenöz B12 Vitamini, kan pıhtılaşması riskini önemli ölçüde azaltabilir ve trombosit sayısı düşük olan hastalarda neden hala kan pıhtılaşması olduğu bilmecesini çözebilir. B12 vitamininin homosistein düzeylerini düşürmesinin yanı sıra MPV düzeylerini de düşürdüğü çalışmalarda gösterilmiştir. Bu, homosistein ve MPV'nin karmaşık bir şekilde bağlantılı ve ilişkili olduğu anlamına gelebilir. Şahsen, B12 Vitamini'ni kan sulandırıcılardan daha fazla buldum, sol bacağımda şişme olmadan daha uzun süre oturmamı sağladı. Sol bacak şişmesi, derin ven trombozunun erken bir belirtisidir. Bu, yatalak COVID-19 hastaları için kan pıhtısı riskinin düşürülmesi anlamına gelir. B12 vitamini ayrıca vücudun oksijeni vücutta taşımak için gerekli olan kırmızı kan hücrelerini üretmesine yardımcı olur.

Bu, C Vitamini tartışmasını gündeme getiriyor. C Vitamini ve B12'nin düşmanca bir ilişkisi var. Bu nedenle, bağımsız bir besin maddesi olarak C vitamininin, B12 vitamininin birçok işlemine antagonizmasının bir sonucu olarak vücuttaki homosistein düzeylerini yükseltebileceğini tahmin ediyorum. C vitamininin bu etkisi zararlı olabilir. E Vitamini ve B12 Vitamini kombinasyonunun yeniden oksijenlenme sürecine yardımcı olabileceğini öneriyorum. E Vitamini ve B12 de aşının olumsuz etkilerini dengelemede rol oynayabilir. Sitomagelovirüsün patogenezinin, ciddi kan pıhtılaşma komplikasyonları ve nörolojik problemlerle sonuçlanan aşırı hiperhomosisteinemi olduğu varsayılmaktadır.

E vitamini trombosit sayısını düşürürken, B12 trombosit hacmini azaltabilir. "Yükselmiş Total Homosistein Akut İskemik İnmede Hastane Pnömonisini ve Kötü Fonksiyonel Sonuçları Öngörüyor" başlıklı bu çalışma, "homosistein düzeyi en yüksek olan hastalarda, homosistein düzeyi en düşük olanlara kıyasla hastane içi pnömoni riskinin anlamlı derecede yüksek olduğunu" buldu.

Araştırmacılar, uzun süreli E Vitamini ve B12 Vitamini kullanımının kanser riskini artırabileceğini ve tümör büyümesini hızlandırabileceğini akılda tutmalıdır.

Yüksek ortalama trombosit hacmini ve düşük trombosit sayısını düzeltmenin tek yolunun homosistein düzeylerini hedeflemek ve düşürmek olduğunu düşünüyorum. Yüksek MPV zaten sağlığın ikinci tarafına yerleştirildiği için, bu tarafa da yüksek homosistein seviyeleri yerleştirebiliriz. Homosistein, protein yapmak için kullanılan bir amino asittir ve başka bir amino asit olan metiyonin vücutta parçalandığında oluşur. Homosistein yükseldiğinde, kan damarlarında tahrişe neden olabilir ve arterlerin sertleşmesi, kalp krizi, felç ve venöz tromboz riskini artırabilir.

"Homosisteinemi, C677T metilentetrahidrofolat redüktaz için homozigot olan kadınlarda trombosit sayısı ile ters, sE- ve sP-selektin seviyeleri ile doğrudan ilişkilidir" adlı bu çalışma, homosistein düzeylerinin oldukça yüksek olduğu homosisteineminin trombosit sayısı ile ters ilişkili olduğunu bulmuştur. Bu, yüksek homosisteinin daha düşük bir trombosit sayısıyla ilişkili olduğu anlamına gelir. "Yüksek toplam homosistein, mikrovasküler yaralanma bölgesinde artan trombosit aktivasyonu ile ilişkilidir: folik asit uygulamasının etkileri" başlıklı bir çalışma, yüksek homosistein düzeylerinin daha yüksek ortalama trombosit hacmi ile ilişkili olduğunu bulmuştur. Bu bulgular, yüksek homosistein düzeylerinin hem düşük trombosit sayısını hem de yüksek trombosit hacmini tetiklediği ve dolayısıyla trombositopenili tromboz olarak bilinen durumun suçlusu olduğu anlamına gelir. "Vitamin B12 ve/veya Folat Eksikliği Makro Trombositopeninin Bir Nedenidir" başlıklı bu 2015 çalışması, B12 Vitamini ve/veya folat eksikliğinin "normalden daha büyük trombositlere sahip trombositopeni" için önemli bir faktör olduğu sonucuna varmaktadır. Araştırmacı, B12'si normalden düşük olan hastaların trombositopeni ile birlikte yüksek MPV seviyelerine sahip olduğunu buldu. Çalışmada ayrıca B12 düzeylerinin her zaman eksiklik durumunu göstermeyebileceğinden ve plazma total homosistein düzeyi ile serum metilmalonik asit düzeyinin B12 eksikliğini belirlemek ve değerlendirmek için daha iyi bir parametre olacağından bahsedilmiştir. Çalışma ayrıca, "Bu hastaların bir bağışıklık veya diğer tüketim patolojisi nedeniyle trombositopeni almış olma olasılığı vardır ve kemik iliği telafi etmek için daha fazla trombosit üretmeye çalışacağı için B12 Vitamini depoları düşmüştür. Bu hastalarda bu, düşük normal vitamin seviyelerine yol açmıştır. Ancak klinik olarak bu hastalarda bu hipotezi destekleyecek başka bir özellik yok." Bu bilgilerle, aşılardan, organ naklinden ve kan transfüzyonundan kaynaklanan immün baskılamanın, kemik iliğinin hızla daha fazla trombosit üreterek telafi etmeye çalışmasına yol açtığı varsayılabilir. Trombositler ayrıca viral enfeksiyona kritik yanıt verenlerdir. Trombositler, trombositlerin aktivasyonuna yol açan viral patojenlerle etkileşime girer. Erken viral temizleme mekanizmaları baskılanırsa, kemik iliğinin virüsle başa çıkmak için yeni ve oldukça aktif trombositler salarak bunu telafi edebileceği varsayılabilir. Bu yeni trombositlerin daha genç ve daha reaktif olduğunu ve dolayısıyla trombosit sayısından bağımsız olarak kan pıhtılaşması riskini artırdığını unutmayın. COVID-19 aşısına olumsuz tepki verenlerin başına gelen budur.

Araştırmama dayanarak, hem yüksek MPV'nin hem de aşağı regüle edilmiş GLUT1 ifadesinin COVID-19'un patogenezini ilerletebileceğini tahmin ediyorum. COVID-19 ile enfekte olanlara benzer şekilde, Tip 2 Diabetes Mellitus ve hiperglisemisi olanlarda da yüksek bir MPV seviyesi ve aşağı regüle edilmiş GLUT-1 bulundu. Bu, COVID-19'u daha yüksek kan şekeri, daha yüksek MPV ve GLUT1 taşıyıcı protein ekspresyonunun aşağı regülasyonu ile ilişkilendiren araştırmaların altını çiziyor.

Bu faktörleri değiştirmek COVID 19'un patogenezini bozabilirken, araştırmacılar yüksek MPV'nin tersine çevrilmesinin ve GLUT-1'in aşağı regülasyonunun kanser ve tümör büyümesi için risk faktörlerini artırabileceğinin farkında olmalıdır. COVID-19'un aksine, Kanserler daha düşük MPV ve GLUT-1'in yukarı regülasyonu ile ilişkilendirilmiştir. Bu sarkaç salınımı, grip ve koronavirüs hastalıkları arttıkça kanser oranlarının düşebileceğini ve bunun tersi olabileceğini gösterebilir. Araştırmacıların bir alanda riski artırmanın başka bir alanda riski nasıl azalttığını ve bu bakış açısının tıbbi terminolojinin bir parçası haline gelmesi gerektiğini araştırmasını umuyorum. Bu sarkaç salınımını anlamak ve kontrol etmek, tıbbi araştırmaları ilerletmede anahtar olabilir.

Şimdi sağlığın birinci ve ikinci tarafına geri dönersek, yüksek homosisteini 2. tarafa ve düşük homosisteini 1. tarafa tahsis edebiliriz. C vitamini Demir emilimini arttırdığından, Demir ikinci tarafa gider. Demir, Çinko emilimini bozduğu için, Çinko Birinci Tarafa gider. Bir sonraki sayfada birinci taraf ve ikinci taraf için başka bir güncelleme var.

Magnezyum tabletleri hakkında kısa bir not. Magnezyum oksit tableti (250mg-500mg) çiğnemek, ani bir kusma nöbeti ile ilgili mide bulantısı semptomlarını caydırıyor gibi görünmektedir.

Sağlığın birinci tarafı	Sağlığın ikinci tarafı
Tip 1 interferon yanıtı	antikor oluşumu
Yüksek beyaz kan hücresi	Düşük Beyaz kan hücresi
Yüksek kan insülini	Düşük kan insülini
Kanser	Düşük kan basıncı
Mide sorunları	grip/koronavirüs belirtileri
E vitamini	A vitamini (beta karoten, şeker)
Orak hücre anemisi	Sıtma
Ebola-evre 2	statinler
düşük ortalama trombosit hacmi (MPV)	Ebola-evre 1
Kalp krizi	yüksek ortalama trombosit hacmi (MPV)
Mutluluk (yüksek dopamin)	Sitomegalovirüs
D vitamini	Kardiyojenik şok ve Kardiyak Arrest
Kalsiyum	Depresyon (düşük dopamin)
B12 vitamini	Magnezyum
Çinko	C vitamini
Düşük Homosistein	K vitamini
	Ütü
	Yüksek Homosistein

Vitamin/mineraller ve hastalık arasındaki bağlantılara yönelik daha fazla araştırma, sağlığın birinci ve ikinci yönlerine ilişkin daha kapsamlı bir bakış açısı sağlayacaktır. Alkol tüketimi ile kafein tüketimini listenin iki yanına koymaya çalışırsak sorunlarla karşılaşırız. Birçok çalışmada, alkol tüketimi daha düşük beyaz küre sayısı ile ilişkilendirilmiştir. Öte yandan, kafein daha yüksek beyaz kan hücresi sayımı ile ilişkilendirilmiştir.

Sorun, kafeinin vücuttaki kalsiyum seviyelerini tüketmesi ve sağlığın birinci ve ikinci tarafına göre kalsiyumun yüksek beyaz kan hücresi sayısının destekçisi olmasıdır. Kafeinin beyaz kan hücre sayısını artırdığı çalışmasına paralel olarak, kafein, listenin aynı tarafındaki faktörlerin (bu durumda sırasıyla kalsiyum ve yüksek beyaz kan hücresi sayısı) hem düşmanı hem de destekçisi haline gelir. Buna karşılık ve sağlığın bir/iki tarafına dayanan mantığıma göre, kafein aslında beyaz kan hücresi sayısını düşürürken, alkol beyaz kan hücresi sayısını yükseltti. Bunu doğru kılmak ve bunları sağlığın birinci ve ikinci yönleriyle uygun şekilde sıralamak için, bu ilaçlar (alkol ve kafein) kullanılıp vücuttan atıldıktan SONRA meydana gelen faktörleri şu şekilde ilişkilendirmeliyiz: gerçek ilaçların standart yan etkisi. Yani, alkol veya kafein kan akışını terk ettikten veya kan akışını terk ettikten sonra ortaya çıkan semptomlar, kullanımının sonuçları için belirleyici faktör olmalıdır. Kalsiyum idrar ve dışkı olarak vücuttan atıldığı için kafeini vücuttan attığından, kalsiyum eksikliği ve buna karşılık gelen özellikler kafein ile sıralanır. Kalsiyum eksikliği, düşük dopamine işaret eden düşük ruh haline işaret ettiğinden, kafein sağlığın ikinci tarafıyla ilişkili olacaktır. Alkol yoksunluğunun beyin üzerindeki etkileri üzerine yapılan bir çalışmada, bilim adamları, alkol tüketiminden sonra kısa bir perhiz döneminde dopamin düşüşünden sonra, perhiz süresi uzadıkça aşırı dopaminde keskin bir yükselişin meydana geldiğini bulmuşlardır. Bu artış, dopamine karşı daha az alıcılıkla çakışsa da, yine de kan dolaşımında daha fazla dopamin olmasıyla sonuçlanır. Bu duruma hiperdopaminerjik durum denir. Çalışmanın adı "Alkolizmde hiperdopaminerjik durum".

Bu hiperdopaminerjik hiperaktivite durumu sırasında, beyaz küre sayısının ve dolayısıyla kan basıncının ve bununla ilişkili tüm faktörlerin önemli ölçüde yükseleceği varsayılabilir. Bu sonucun, alkolün vücut üzerindeki etkisini, sağlığın uygun tarafına, yani birinci tarafa uydurmasını sağlamak için standart olması gerekir. Özünde ve varsayımsal olarak, alkol grip/koronavirüs semptomlarıyla savaşabilirken, kafein mide/mide bulantısı sorunlarıyla savaşabilir. Vanderbilt Üniversitesi Tıp Merkezi önleyici tıp başkanı Dr. William Schaffner, alkolle savaşan grip / koronavirüs semptomlarını desteklemek için 2018'de ABC News'e şunları söyledi: "Alkol kan damarlarını biraz genişletir ve bu, mukus zarlarınızın çalışmasını kolaylaştırır. Enfeksiyonla mücadele etmek için"

Bununla birlikte, sağlığın birinci ve ikinci yönleriyle daha uyumlu olmak için, alkolün kan damarlarını daraltmasının soğuk algınlığı semptomlarını hafifletmek için daha mantıklı olacağı sonucuna varmam gerekir. Soğuk algınlığı veya grip/koronavirüs ile savaşmak için bir standart olan dekonjestanlar kan basıncını yükseltir. Bu nedenle, sağlığın birinci ve ikinci tarafına tam olarak uymak için alkolün bu faktörlerle uyumlu olması gerekir (yüksek tansiyon grip/koronavirüsün zıt tarafındadır ve bu nedenle grip/koronavirüs semptomlarına karşı bir düşmandır) ve ayrıca baskın tıbbi belirleyiciler. Bir Fransız araştırmasında, araştırmacılar Neurology dergisinde, ağır içicilerin ebola hastalarına olanlara benzer şekilde hemorajik tip inme riskinin daha yüksek olduğunu gösteren bir makale yayınladılar. Bu ayrıca, alkolün sağlığın birinci tarafına yerleştirildiğini doğrular.

Bu, kafeinin yüksek tansiyon, yüksek beyaz küre sayısı ve mide/mide bulantısı sorunları gibi şeyleri antagonize etmesi için kapıyı açar. Kan basıncını düşürmek için kahveye bağlanan çalışmalar var. Kahvenin alım sırasında kan basıncını yükselttiği iyi bilinmekle birlikte, kahve kullanıldıktan ve vücut tarafından salındıktan sonra belirleyici faktörler kahvenin asıl sonucu olarak kahvenin kan basıncını düşürmesini anlamamızı sağlar. Kalsiyumun tükenmesinden kaynaklanan basınç. Webmd'ye göre, "Kalsiyum kanal blokerleri, kan basıncını düşürmek için kullanılan ilaçlardır. Kalsiyumun kalp hücrelerine ve kan damarı duvarlarına hareketini yavaşlatarak çalışırlar, bu da kalbin pompalamasını kolaylaştırır ve kan damarlarını genişletir. Sonuç olarak, kalp çok çalışmak zorunda kalmaz ve kan basıncı düşer." Bu, araştırmaların kahvenin (kafeinin kalsiyuma düşmanlığı) kan basıncını düşüreceğini nasıl bulacağını mükemmel bir şekilde anlamamızı sağlar. Daha fazla çalışma, kahvenin kan basıncını düşürmesini desteklemektedir. "Fransa'nın Paris kentindeki Önleyici ve Klinik Araştırmalar Merkezi'ndeki araştırmacılar, 16 ila 95 yaşları arasındaki yaklaşık 200.000 erkek ve kadının kan basıncını 10 yıl boyunca gözlemlediler ve kan basınçlarını, nabız basınçlarını ve kalp atış hızlarını kaydettiler. Bulgular şunu ortaya çıkardı: Kahve ve çay tüketiminden hep birlikte kaçınanlar en yüksek kan basıncı, nabız basıncı ve kalp atış hızı oranlarına sahipti ve en sık çay içenler en iyi sağlık raporlarına sahipti. Kahve içenler bile içmeyenlere göre daha iyi durumdaydı. hiç kahve içme." Sağlığın birinci ve ikinci tarafını alkol ve kafein ile güncelleyebiliriz:

Sağlığın birinci tarafı	Sağlığın ikinci tarafı
Tip 1 interferon yanıtı	antikor oluşumu
Yüksek beyaz kan hücresi	Düşük Beyaz kan hücresi
Yüksek kan insülini	Düşük kan insülini
Kanser	Düşük kan basıncı
Mide sorunları	grip/koronavirüs belirtileri
E vitamini	A vitamini (beta karoten, şeker)
Orak hücre anemisi	Sıtma
Ebola-evre 2	statinler
düşük ortalama trombosit hacmi (MPV)	Ebola-evre 1
Kalp krizi	yüksek ortalama trombosit hacmi (MPV)
Mutluluk (yüksek dopamin)	Sitomegalovirüs
D vitamini	Kardiyojenik şok ve Kardiyak Arrest
Kalsiyum	Depresyon (düşük dopamin)
B12 vitamini	Magnezyum
Çinko	C vitamini
Düşük Homosistein	K vitamini
alkol	Ütü
kan inceltme	Yüksek Homosistein
	kafein
	kan pıhtısı

Kanserle savaşmak için kullanılan bir tedavi olan kemoterapi, grip/koronavirüs semptomları, düşük beyaz kan hücreleri, düşük tansiyon gibi bir dizi yan etki içerir. Sağlığın ikinci tarafını gözlemledikten sonra, kemoterapiyle ilgili yan etkilerin çoğunun ikinci tarafın bileşenlerinin birçoğunda bulunduğu fark edilebilir. Vitamin gözlemi burada da geçerlidir. Örneğin, kemoterapinin kan pıhtılaşması olasılığını artırdığı da bilinmektedir ve sağlığın ikinci tarafını gözlemlediğimizde, vücudumuzun kan pıhtılaşma mekanizmasını harekete geçiren K Vitamininin bu teşhisi doğruladığını görebiliriz. Kanser açıkça kemoterapinin karşı tarafında olacağından, birinci tarafta, kemoterapi sağlığın birinci tarafıyla ilgili her şeye karşı savaşmak için potansiyel bir tedavi haline gelir... sadece kanser değil, kalp hastalığı, ebola, orak hücreli anemi, yüksek tansiyon, yüksek kolesterol. Araştırma üzerine, kemoterapi ilaçlarının yukarıda belirtilenlere karşı bir miktar başarı ile kullanıldığını görüyoruz. Bununla birlikte, kemoterapi yüksek kolesterol ile ilişkilendirilmiştir ve bu, yüksek kolesterolü birinci tarafa koyarsak sağlık düzenimizde bir anlam ifade etmeyecektir. Daha ileri araştırmalar, bunun, sağlığın birinci tarafında yüksek kolesterol ve ikinci tarafında düşük kolesterol olmasıyla çözülemeyeceğini göstermektedir. Bu, tasfiye ihtiyacına işaret eder. Sağlığın birinci tarafındaki yüksek kolesterol, Yüksek HDL Kolesterol olarak, ikinci taraftaki Düşük Kolesterol ise Düşük HDL Kolesterol olarak belirlenmelidir. HDL kolesterol, iyi kolesterol olarak kabul edilen şeydir. Düşük LDL (kötü kolesterol) birinci tarafa, Yüksek LDL ise ikinci tarafa yerleştirilmelidir. Bu, düşük LDL'yi bir kanser riski ve yüksek LDL'yi kemoterapinin bir semptomu olarak yerleştiren çalışmalarla uyumlu olacaktır. Bunu yapmak esasen beta karoten, Vitamin A, C ve K'yi yüksek LDL, yüksek trigliseritlere bağlar. Bu ne kadar kafa karıştırıcı görünse de, aslında veganların kan testlerinde neden yüksek LDL sayıları aldıklarını açıklıyor. Sağlığın birinci ve ikinci tarafının güncellenmiş düzeni şöyle görünür:

Sağlığın birinci tarafı	Sağlığın ikinci tarafı
Tip 1 interferon yanıtı	antikor oluşumu
Yüksek beyaz kan hücresi	Düşük Beyaz kan hücresi
Yüksek kan insülini	Düşük kan insülini
Kanser	Düşük kan basıncı
Mide sorunları	grip/koronavirüs belirtileri
E vitamini	A vitamini (beta karoten, şeker)
Orak hücre anemisi	Sıtma
Ebola-evre 2	statinler
düşük ortalama trombosit hacmi (MPV)	Ebola-evre 1
Kalp krizi	yüksek ortalama trombosit hacmi (MPV)
Mutluluk (yüksek dopamin)	Sitomegalovirüs
D vitamini	Kardiyojenik şok ve Kardiyak Arrest
Kalsiyum	
B12 vitamini	Depresyon (düşük dopamin)
Çinko	Magnezyum
Düşük Homosistein	C vitamini
alkol	K vitamini
kan inceltme	Ütü
Yüksek HDL kolesterol (iyi kolesterol)	Yüksek Homosistein
Düşük LDL kolesterol (kötü kolesterol)	kafein
	kan pıhtısı
	Düşük HDL kolesterol (iyi kolesterol)
	Yüksek LDL kolesterol (kötü kolesterol)
	Yüksek Trigliseritler

Şimdi, kemoterapinin sağlığın birinci tarafına karşı bir düşman ve kendi tarafında, iki tarafında da faktörlerin destekleyicisi olduğuna dair kanıt arayabiliriz. Kardiyovasküler problemlerle ilişkili biyokimyasal anormalliklerin bir kombinasyonu olan metabolik sendromun, kemoterapi tedavisinden sonra kanserden kurtulanlarda arttığı bulundu. Bu çalışmanın kaynağı "Çocukluk çağında kanserden kurtulanlarda antikanser tedavi ile indüklenen Metabolik sendrom" başlıklı ve Endokrinoloji ve Metabolizma dergisinden.

Karışıklığı önlemek için, birinci taraftaki kalp krizi ile kalp krizine yol açan 2. taraftaki kan pıhtısı sorunları arasında net bir ayrım yapılmalıdır. Birinci taraftaki kalp krizi, kardiyovasküler hastalıkla ve ikinci taraftaki kalp krizi, dolaşım problemleriyle ilgilidir. Embolizm, ikinci taraftaki bir kardiyak olayı tanımlamanın daha iyi bir yolu olacaktır. Bence kalp problemleri ve kan pıhtıları birbirinin yerine kullanılıyor çünkü kan pıhtıları kalbe giden oksijeni kesiyor ve bu da kalp krizlerine neden oluyor. Bu nedenle, tıbbi terminolojiyi okurken ve kalp krizi ile ne kastedildiğini deşifre ederken kafa karıştırıcı olabilir. Veganların kan pıhtılaşması riski altında olduğu ve aynı zamanda kardiyovasküler hastalıklardan korunduğu bilinmektedir. Bu, K Vitamini tarafından başlatılanlar gibi kan pıhtılaşma mekanizmalarının aslında kardiyovasküler hastalıklarla savaştığı anlamına gelir. Bu nedenle, kemoterapiden kaynaklanan metabolik sendrom, pıhtılaşma faktörleriyle ilişkili olmalıdır. Düzene göre, Yüksek LDL ayrıca kardiyovasküler hastalıkla değil, pıhtılaşma sorunlarıyla ilgili olmalıdır. LDL kolesterolün aslında kalp hastalığıyla bağlantılı olmadığına dair daha fazla araştırma ortaya çıkıyor.

Bu muhtemelen, yüksek LDL'nin kanserle savaşabileceği varsayımına da kapı açar. Aslında, Amerikan Kardiyoloji Koleji tarafından 2012 yılında "Düşük LDL kolesterol kanser riski ile ilişkilidir" adlı bir çalışmada , araştırmacılar Düşük LDL kolesterolü kanser için bir risk faktörü olarak buldular.

Bu, yüksek LDL kolesterol kanserin karşı tarafında olduğu için, sağlığın birinci ve ikinci tarafının düzeniyle mükemmel bir uyum içindedir. Bununla birlikte, statinlerin uygun şekilde yerleştirilmesiyle ilgili sorunlarla karşılaşıyoruz. Statinlerin LDL kolesterolü düşürdüğü bilindiğinden, yüksek LDL kolesterol ile aynı tarafa yerleştirilemez. Statinleri sağlığın bir tarafına kaydırırsak, statinleri kanserin ve yüksek HDL kolesterolün destekçisi, ancak grip/koronavirüs ve sıtmaya karşı bir savaşçı yapar. İşte statinlerin artık sağlığın birinci tarafında olduğu yeni düzen:

Sağlığın birinci tarafı	Sağlığın ikinci tarafı
Tip 1 interferon yanıtı	antikor oluşumu
Yüksek beyaz kan hücresi	Düşük Beyaz kan hücresi
Yüksek kan insülini	Düşük kan insülini
Kanser	Düşük kan basıncı
Mide problemleri	grip/koronavirüs belirtileri
E vitamini	A vitamini (beta karoten, şeker)
Orak hücre anemisi	Sıtma
Ebola-evre 2	Ebola-evre 1
düşük ortalama trombosit hacmi (MPV)	yüksek ortalama trombosit hacmi (MPV)
Kalp krizi	Sitomegalovirüs
Mutluluk (yüksek dopamin)	Kardiyojenik şok ve Kardiyak Arrest
D vitamini	
Kalsiyum	Depresyon (düşük dopamin)
B12 vitamini	Magnezyum
Çinko	C vitamini
Düşük Homosistein	K vitamini
Alkol	Ütü
Kan inceltme	Yüksek Homosistein
Yüksek HDL kolesterol (iyi kolesterol)	Kafein
	kan pıhtısı
Düşük LDL kolesterol (kötü kolesterol)	Düşük HDL kolesterol (iyi kolesterol)
statinler	Yüksek LDL kolesterol (kötü kolesterol)
	Yüksek Trigliseritler

Statinlerin depresyona neden olduğu bilindiğinden, depresyona karşı bir savaşçı olarak statinler hala bir sorun teşkil etmektedir. Bu düzende statinler kalp hastalığından kaynaklanan kalp krizlerini destekleyeceğinden, statinlerin kullanımına bağlı kalp krizlerinin önlenmesi, embolilere bağlı kan pıhtılarının oluşumu ile ilişkilendirilmelidir. "Statinler ve venöz tromboembolizmin birincil önlenmesi: sistematik bir inceleme ve meta-analiz" başlıklı Lancet Hematoloji çalışmasında statinlerin kan pıhtılaşma riskini azalttığı bulunduğundan, statinlerin yalnızca kalp krizlerinden kaynaklanan kalp krizlerine karşı mücadele ile ilgili olduğu hipotezini ima edebiliriz. bu ve kalp hastalığından değil.

Yüksek LDL'nin kardiyovasküler hastalıkla bağlantılı olmadığını gösteren çalışma, sağlığın birinci tarafında gösterildiği gibi statinlerin kalp hastalığını önlemeyeceği fikrini desteklemektedir.

Sağlık yönlerinin iki tarafa ayrılması, sağlık felsefesinin, tükettiğimiz farklı türde şeyler ve takip ettiğimiz tedavi protokolleri ile ilgili karmaşık faktörleri anlamlandırmasına izin verir.

Hidroksiklorokinin COVID-19 için etkili bir tedavi olarak kabul edilip edilemeyeceğini görmek için çok sayıda çalışma yapılmıştır. Bununla birlikte, birkaç kişinin ciddi olumsuz yan etkiler yaşadığı bildirildikten sonra, genel fikir birliği - sonuç olarak - Hidroksiklorokinin etkinliği konusunda büyük ölçüde karamsarlığa dönüştü. Sıtma ilacı tavsiyesini sağlam bir akıl yürütme olarak görmemin nedeni, genel sağlığın esas olarak iki karşıt tarafa nasıl bölündüğünü anlamlandırmaya yönelik araştırmama dayanmaktadır. Bir taraftaki semptomlar, vitaminler ve mineraller dizisi, diğer taraftaki semptomlara, vitaminlere ve minerallere karşı savaşabilir. Benim mantığım, E Vitamini sağlığın birinci tarafı olarak belirlendiğinden, grip ise ikinci taraf olarak belirlendiğinden, E Vitamininin grip benzeri herhangi bir şeyin tedavisi için kolayca aday gösterilebileceği anlamına geliyor (COVID-19'u grip benzeri bir şey olarak görüyorum) hastalık). Birinci taraftaki herhangi bir şeyin ikinci taraftaki herhangi bir şeye karşı savaşabileceği varsayıldığı için, teorik olarak - bunun bir sonucu olarak - birinci taraftaki herhangi bir semptom, vitamin veya mineral, ikinci taraftaki herhangi bir semptom, vitamin veya mineral ile savaşmaya rakiptir. . Her iki taraftaki bileşenlerin (belirti, vitamin veya mineral) birinci tarafta yüksek insülin ile ikinci tarafta hem grip hem de sıtmaya tahsis edilme biçimine bakılırsa . Hidroksiklorokinin yüksek insülin/hipoglisemik yan etkisi vardır ve COVID-19 ile mücadelede sağlam bir öneri haline gelir. Hidroksiklorokin kullanımına ilişkin ölümcül vakalar, olumsuz etkilerin, normalde kalp durmasıyla sonuçlanan aşırı hipoglisemi ve insülin doz aşımının olumsuz etkilerini güçlü bir şekilde yansıttığını göstermektedir. Bu, COVID-19'un Hidroksiklorokin ile bildirilen tüm tedavileri için geçerli değildir. Bazı çalışmalarda hidroksiklorokin etkili bulunmuştur. Henry Ford Health System tarafından yayınlanan yeni bir araştırmaya göre, Hidroksiklorokin tedavisi, COVID-19 ile hastaneye kaldırılan hastalarda kalple ilgili yan etkiler olmaksızın ölüm oranını önemli ölçüde azalttı.

Hidroksiklorokinin yaptığı, birinci tarafın yüksek insülin bileşeninden çekmek ve bunu ikinci tarafın bileşenlerine karşı savaşmak için kullanmaktır. Ayrıca, tedavi için gerekli olanın ötesinde uygulanması durumunda, bir tarafın bir bileşeninin sorunsuz olacağı anlamına geleceği düşünülmemelidir. Bu, bazı durumlarda Hidroksiklorokin kullanımıyla oluyor. İyi bir benzetme, kişinin yalnızca susuzluğunu giderecek kadar su içmemesi, aynı zamanda yalnızca susuzluğunu gidermek için değil, aynı zamanda aşırıya kaçması ve aynı zamanda kendini su sarhoşluğuna getirmesi için çok fazla su içmesidir. Bu durumda, böyle bir senaryonun susuzluk için etkili bir tedavi olarak suyu tamamen göz ardı etmediğini anlayabiliriz. Hidroksiklorokin hakkında daha fazla araştırmanın anahtarı, Hidroksiklorokinin yan etkilerinin hipoglisemi/yüksek insülin doz aşımı semptomunun tehlikelerini atlatmak için, bireysel olarak hastanın başlangıçtaki insülin seviyesini anlamak ve buna dayalı olarak uygulamak olacaktır.

Sağlığın 1/2 tarafı düzenini doğrulayan bir başka örnek de D vitamininin koronavirüs araştırmalarında gösterdiği umut verici sonuçlar. Boston Üniversitesi Tıp Fakültesi'nde fizyoloji, tıp ve moleküler tıp ve biyofizik profesörü olan Michael F. Holick tarafından yapılan araştırmalar, yeterli D Vitamini düzeyine sahip 40 yaşın üzerindeki COVID-19 hastalarının ölme olasılığının %51 daha az olduğunu buldu. virüs. Ayrıca vücudunda yeterli düzeyde D vitamini bulunan herkesin virüse yakalanma riskinin %54 oranında azaldığı sonucuna varıldı. D vitamini, COVID-19 ile savaşmak için kullanılan Hidroksiklorokin protokollerinin etkisi olan yüksek insülin ile sağlığın aynı tarafında sıralanır. Bu, sağlığın 2 karşıt tarafının görünümünü daha da doğrulamaktadır.

Kan sulandırıcıların COVID 19'u tedavi etmedeki başarısı, 1. taraf/2. taraf sağlık düzenini de doğrular. New York'taki Mount Sinai'deki araştırmacılar tarafından yapılan gözlemsel bir çalışma, kan sulandırıcı reçeteler alan hastanede yatan COVID-19 hastalarının ölüm riskinin %50 azaldığını buldu. Ayrıca Mount Sinai'deki COVID-19 hastalarının otopsi kayıtlarını kontrol ettiler ve 26 hastanın 11'inde akciğerlerde, beyinde ve kalpte hastanede tespit edilmeyen kan pıhtıları olduğunu buldular.

Rensselaer Politeknik Enstitüsü'ndeki bilim adamları, kan sulandırıcıların koronavirüsü nötralize etmedeki etkinliğini keşfettiler. Kan sulandırıcı heparinin virüsün sağlıklı hücrelere bulaşmasını önlemede etkili olduğunu bulmuşlardır.

Kan sulandırıcıların etkili bir tedavi olduğu yönündeki çalışmalar, kan sulandırıcı özelliği de bulunduğu için E vitamini önerisini haklı çıkarmaktadır. Kan sulandırıcı D vitamini ve yüksek insülin sağlığın aynı tarafında sıralanır.

İlaç üreticisi şirket Gilead Sciences tarafından üretilen bir antiviral ilaç olan Remdesivir ile, Remdesivir'in sağlığın 1. yanından, özellikle de gribe karşı düşman olarak belirlenen gastroproblemlerden aldığı, Remdesivir'in yan etkilerine ilişkin bilgilerden elde edilebilir. hastalıklar gibi. Remdesivir kullanılarak COVID-19 tedavisi gören hastalarda keşfedilen en yaygın yan etki mide bulantısıydı. Bu da Remdesivir'i koronavirüse karşı sağlam bir öneri haline getiriyor. Journal of the American Medical Association tarafından yayınlanan 600 hastalı bir analizde, orta derecede hasta COVID-19 hastalarında yapılan çalışma, tedaviye başladıktan 11 gün sonra - 10 günlük Remdesivir hastalarının %65'i, 5'inin %70'i olduğunu gösterdi. günlük hastalar ve standart bakım hastalarının %60'ı hastaneden ayrılmıştı. "Remdesivir gruplarında daha sık görülen yan etkiler mide bulantısı, düşük kan potasyum seviyeleri ve baş ağrısını içeriyordu."

Gastro sorunları, kan sulandırma, D vitamini ve yüksek insülin gibi sağlığın aynı tarafında sıralanır. Genel sağlığın esas olarak iki karşıt tarafa ayrıldığı bu tez, Hidroksiklorokin (yüksek insülin etkisi), D Vitamini, kan sulandırıcılar ve Remdesivir'in (gastroproblem etkisi) koronavirüse (COVID-19) karşı nasıl etkili olduğunu anlamlandırıyor. Bu, listeyi oluşturmaya ve uygun şekilde ayırmaya devam etmemizi sağlar.

Sağlığın birinci tarafı	Sağlığın ikinci tarafı
Tip 1 interferon yanıtı	antikor oluşumu
Yüksek beyaz kan hücresi	Düşük Beyaz kan hücresi
Yüksek kan insülini	Düşük kan insülini
Kanser	Düşük kan basıncı
Mide problemleri	grip/koronavirüs belirtileri
E vitamini	A vitamini (beta karoten, şeker)
Orak hücre anemisi	Sıtma
Ebola-evre 2	Ebola-evre 1
Düşük ortalama trombosit hacmi (MPV)	Yüksek ortalama trombosit hacmi (MPV)
Kalp krizi	Sitomegalovirüs
Mutluluk (yüksek dopamin)	Kardiyojenik şok ve Kardiyak Arrest
D vitamini	
Kalsiyum	Depresyon (düşük dopamin)
B12 vitamini	Magnezyum
Çinko	C vitamini
Düşük Homosistein	K vitamini
Alkol	Ütü
Kan inceltme	Yüksek Homosistein
Yüksek HDL kolesterol (iyi kolesterol)	Kafein
Düşük LDL kolesterol (kötü kolesterol)	Kan pıhtısı
	Düşük HDL kolesterol (iyi kolesterol)
statinler	Yüksek LDL kolesterol (kötü kolesterol)
Sodyum	
hidroksiklorokin	Yüksek Trigliseritler
remdesivir	Kemoterapi
Yüksek karaciğer enzimleri	Potasyum
heparin	COVID-19

Şimdi, 2020 yılında çeşitli araştırma kurumları tarafından COVID-19 tedavi olasılıklarına dahil edilen yukarıda bahsedilen tıbbi ve sağlık bileşenlerinin - Hidroksiklorokin, Remdesivir ve Heparin - listeye eklendiğini görüyoruz.

Ivermectin, viral yükü azaltma ve hastaların COVID-19 enfeksiyonundan daha hızlı iyileşmesine yardımcı olma özelliği nedeniyle büyük ilgi gören bir başka ilaçtı. Farklı ülkelerde yapılan üç araştırma bu sonucu doğruladı. Ivermektin anti-parazitik bir ilaçtır ve Latin Amerika'da yürütülen ve Ivermektinin SARS-CoV-2 replikasyonunun replikasyonunu engelleyebileceğini bulan araştırmalar, birçok Latin Amerika ülkesinin Ivermectin'i COVID-19 için resmi bir tedavi yöntemi olarak belirlemesine yol açtı. "Şiddetli olmayan COVID-19 hastalarında Ivermectin ile erken tedavinin viral yük, semptomlar ve hümoral yanıt üzerindeki etkisi: Bir pilot, çift kör, plasebo kontrollü, randomize klinik çalışma" başlıklı bir çalışma, hastaları erken dönemde test etmişti. COVID-19 enfeksiyonunun aşamaları. Bildirilen tüm semptomlar öksürük, yorgunluk, ateş ve baş ağrısıdır. Grup ikiye ayrıldı: bir grup, semptomların ilk başlangıcından sonraki 72 saat içinde Ivermectin alırken, diğer grup, Ivermectin almayan bir kontrol grubu olarak belirlenecekti. 4. ve 7. günlerde, Ivermectin alan grubun viral yükleri daha düşüktü. 21. günde, Ivermectin grubu, kontrol grubundan daha hızlı koku kaybından kurtuldu. Genel olarak, araştırmaya göre "kendi kendine bildirilen anozmi/hipozmide belirgin bir azalma, öksürükte azalma ve viral yükleri düşürme eğilimi ve daha büyük denemelerde değerlendirmeyi garanti eden daha düşük IgG titreleri" vardı. Arjantin ve Bangladeş'teki diğer iki çalışma da benzer bulgulara sahipti. Arjantin'de "COVID-19'lu yetişkinlerde yüksek doz ivermektinin antiviral etkisi: Kavram kanıtı randomize bir çalışma" başlıklı çalışma, ivermektin dozajının daha yüksek viral bozulma oranı ile ilişkili olduğunu buldu. "COVID-19 semptomlarını tedavi etmek için doksisiklin ile kombinasyon halinde ivermektin: randomize bir çalışma" başlıklı Bangledeş çalışması, "ivermektin artı doksisiklin ile tedavi edilen hafif ila orta şiddette COVID-19 enfeksiyonu olan hastaların daha önce iyileştiğini, daha önce iyileşen hastaların ilerleme olasılığının daha düşük olduğunu" buldu. ciddi hastalık ve 14. günde RT-PCR ile COVID-19 negatif olma olasılığı daha yüksekti." Ivermectin'in COVID-19'un erken evrelerini kontrol altına almada olumlu sonuçları olduğu gösterilirken, diğer çalışmalar Ivermektinin daha sonraki evrelerde COVID-19'u tedavi etmede etkili olmadığını gösteriyor. Tüm veriler, Ivermectin'in sağlığın birinci tarafına tahsis edildiğini gösteriyor. FDA, yüksek dozda Ivermectin kullanımıyla ilişkili yan etkilerin mide-bağırsak bileşenleri olan mide bulantısı, kusma ve ishal olduğunu ve bu nedenle onu grip / koronavirüs semptomlarının savaşçısı olarak nitelendirdiğini belirtti.

Yüksek karaciğer enzimi sayısı, sodyum, potasyum ve COVID-19 gibi diğer bileşenler de listeye eklendi ve uygun şekilde tahsis edildi: birinci tarafta yüksek karaciğer enzimi sayısı ve sodyum ve ikinci tarafta potasyum ve COVID-19. Sodyum ve potasyumun nereye yerleştirileceğine karar vermek karmaşık bir konuydu, ancak grip ilaçları ve bunların kan basıncını yükseltme üzerindeki etkileri ile ilgili çalışmalarda belirtilen faktörlere ve remdesivir ile yan yana redesivir tedavileri çalışmasında açıklanan faktörlere dayanarak karar verdikten sonra. düşük potasyumun etkileri nedeniyle, ikinci tarafın bileşenlerine karşı mücadelede bir müttefik olarak remdesivir ile birlikte birinci tarafa sodyum koymaya karar verdim. Bu, potasyumu otomatik olarak ikinci tarafa aktarır. Genel kan basıncını düşürdüğü ve kan pıhtılaşma mekanizmalarına yardımcı olduğu bilinen potasyum ile, potasyumu COVID-19'un bir müttefiki ve ikinci tarafın bir üyesi olarak gözlemlemek haklı hale gelir. Bu kararı vermenin zorluğu, Ulusal Kanser Enstitüsü'nün Kanser Araştırmaları Merkezi'ndeki bilim adamlarının, tümör hücrelerinin öldürücü hücrelerden kaçmak için potasyuma güvendiğini ortaya koyan çalışmalarını gözlemlemesinden kaynaklanıyordu. "Hem fare hem de insan tümörleriyle yapılan deneylerde, NCI cerrahi onkoloji araştırma görevlisi Robert Eil (şu anda Oregon Sağlık ve Bilim Üniversitesi'nde) dahil olmak üzere Restifo'nun ekibi, tümör hücreleri arasındaki boşluğu dolduran sıvının yüksek düzeyde potasyum, bir iyon içerebileceğini buldu. bu genellikle hücrelerin içinde yoğunlaşmıştır." Potasyum içeren bu hücre dışı sıvının bağışıklık sistemini baskılayıcı olduğu bulundu. Bu, potasyumun bir kanser müttefiki olduğu anlamına gelir ve bu nedenle potasyumun (ikinci taraf) kanserin karşı tarafında (birinci taraf) olduğu teziyle çelişir. Ancak Jansson B. tarafından yapılan "Potasyum, sodyum ve kanser: bir inceleme" başlıklı bir araştırma, potasyumun hücrelerden çıkıp sodyumun içeri girmesiyle kanser oranının arttığını doğruladı. Makalede "Hiperkalemik hastalığı (Parkinson, Addison) olan hastalarda kanser oranlarının düştüğü, hipokalemik hastalığı (alkolizm, obezite, stres) olan hastalarda ise kanser oranlarının arttığı belirtilmektedir." Bu bulgu, sodyumun kanserojen bir madde olduğu ve kansere katkıda bulunan bir madde olduğu ve bu nedenle sunulan listelerde düzgün bir şekilde birinci tarafta yer aldığı sonucunu çıkarmamıza yardımcı olur. Lütfen hiperkalemik potasyumun anormal derecede yükseldiğini, hipokalemik ise anormal derecede azalmış potasyum olduğunu unutmayın. Çalışmalar arasındaki çelişkiyi çözmek için, potasyumun - kanserojen ajan sodyumun bir antagonisti olarak - öldürücü t-hücreleri tarafından bir müttefik (veya aynı işi yapıyor) olarak görüldüğü ve bu nedenle önleyebileceği veya geciktirebileceği sonucuna varabilirim. öldürücü t-hücresi yanıtı. Potasyum mevcut olduğu sürece, hücrelerde artan sodyum seviyeleri tarafından dışarı atılsa bile her zaman sodyumu antagonize etmeye çalışacaktır ve bu başlı başına potasyum tarafından yapılan bir anti-tümör operasyonudur. İnsan tümör hücreleri, potasyumdan önemli ölçüde daha fazla sodyum içerir. Üç tipte sınıflandırılan kanserlere sahip 10 kanser hastasından alınan insan tümörleri üzerinde yapılan bir çalışma: keratinize edici, geçiş hücreli ve hipernefroid karsinom ....ve habis kanserli süreçleri olmayan hastalarla karşılaştırıldığında, her üç kanser hücresi tipinde de ortalama intranükleer sodyum içeriği üç kattan fazla artarken, potasyum içeriği sırasıyla %32, %16 ve %13 azaldı. Çalışmanın adı "Enerji dağıtıcı x-ışını mikroanalizi ile ortaya çıkan insan kanser hücrelerinde hücre içi Na+:K+ oranları"dır.

Listeye uygun şekilde eklenebilecek bir diğer bileşen de Tiamin olarak da bilinen B1 vitaminidir. Tiamin, kepekli tahıllar, et ve balıkta bulunan doğal bir mikro besindir. Araştırmamda ve kişisel testlerimde - kabızlık ve lifli dışkı semptomları yaşadım - bu semptomlardan kurtulmamın çoğunun beyaz pirinç (kahve ile) veya toz süt kreması (kahve ile) tükettikten hemen sonra geldiğini buldum. Daha fazla araştırma, beyaz pirinç gibi öğütülmüş ürünler ve birçok toz Tiamin eksikliğinin nedenleri olarak gösterildiğinden, olası bir Tiamin antagonisti için böyle bir etkiyi çıkarmamı sağladı. Doğal bir tiamin antagonisti olan kahve, bir öğütme sistemi aracılığıyla işlenmesinin bir sonucu olarak düşük bir tiamin kaynağıyla birleştirildiğinde, kabızlık/lifli dışkıdan kurtulma artar. Kahvenin kendi başına böyle bir etki yaratacağı anlaşılsa da, beyaz pirinç gibi düşük tiaminle işlenmiş ürünlerle birlikte kahvenin idrar söktürücü etkisinin daha belirgin olduğunu buldum. Yukarıda belirtilen semptomlar - kabızlık/lifli dışkı - rektal kanserlerinkileri yansıttığı için, Tiamin antagonistlerinin rektal kanser semptomlarıyla savaşabileceğini, Tiaminin kendisinin hastalığa katkıda bulunacağını ve bu nedenle liste düzeninin birinci tarafına atanacağını varsayıyorum. .

Kahverengi pirincin kabuğunu, kepeğini ve özünü çıkarmak için kullanılan öğütme işlemi, B1 vitamininin %43-92'sini tüketir. Bununla birlikte, beyaz pirinçteki bu düşük tiamin miktarı, beyaz pirinç tüketildiğinde tiaminin azalmasını açıklamaz. Tüketildiğinde tiaminin tükenmesinden sorumlu beyaz pirinçte bir mekanizma olmalıdır. Daha fazla araştırma yaptıktan ve hem kahverengi pirincin hem de beyaz pirincin arsenik içerdiğini öğrendikten sonra, kahverengi pirinçteki kepek, kabuk ve özdeki tiamin içeriğinin arseniği antagonize ettiğini, bu bileşenlerin (kepek, kabuk ve kabuk) çıkarılmasını sağladım. beyaz pirincin işlenmesi için mikrop), arseniğin beyaz pirinçteki tiamin içeriğini geçersiz kılmasına neden olur. Temel olarak, kahverengi pirinçteki arsenik içeriği beyaz pirincin içerdiğinden daha yüksek olsa da, kahverengi pirincin kepeği/kabuğu/öz kısmı arsenik etkisini bastırmaya yetecek kadar tiamin içerir. Kahverengi pirinçte, beyaz pirinçte olduğundan daha yüksek tiamin-arsenik oranı vardır. Beyaz pirinçte hem daha az tiamin hem de arsenik olmasına rağmen, beyaz pirincin tiyamin-arsenik oranı daha düşük olacaktır. Bu nedenle beyaz pirinçteki arsenik, toksisiteye neden olmayacak kadar düşük, ancak (tiamin oranı bakımından) tiamin eksikliğini giderecek kadar yüksektir. Tiamin eksikliği, sağlığın iki tarafında yer alan sıtma ile de ilişkilendirilmiştir. Açık erişimli bir dergi olan The Lancet, 1999'da Tayland'da yapılan ve akut tiamin eksikliğinin sıtmanın birçok komplikasyonunu taklit edebileceğini ortaya koyan bir çalışma hakkında bir makale yayınladı (CİLT 353, ISSUE 9152, P546-549). Bu, tiamin eksikliği ve arseniği sıtmaya bağlayacak ve ayrıca tiaminin sağlığın birinci tarafını haklı çıkaracaktır. Tiamin antagonistleri ve hatta arsenik daha sonra sağlığın ikinci tarafına düşecektir. Şimdi, arseniğin ikinci tarafta yer aldığına göre, birinci tarafta yer alan kanserle savaşmaya yardımcı olabileceğini varsayabiliriz. 2010 yılında, Stanford Üniversitesi'ndeki araştırmacılar, belirli bir tür beyin tümörü olan fareleri arsenik trioksit ile tedavi etmenin tümör büyümesini yavaşlattığını veya durdurduğunu buldu. Gelişim biyolojisi profesörü ve Tıp Fakültesi'nde Ernest ve Amelia Gallo Profesörü olan PhD Philip Beachy, 12 Temmuz'da Proceedings of the National Academy of Sciences dergisinde yayınlanan arsenik hakkındaki yeni bulguların kıdemli yazarıdır. birinci taraf ve ikinci taraf düzeni artık Arsenik ve Tiamin tahsis edilmiş gibi görünüyor uygun şekilde:

Sağlığın birinci tarafı	Sağlığın ikinci tarafı
Tip 1 interferon yanıtı	antikor oluşumu
Yüksek beyaz kan hücresi	Düşük Beyaz kan hücresi
Yüksek kan insülini	Düşük kan insülini
Kanser	Düşük kan basıncı
Mide sorunları	grip/koronavirüs belirtileri
E vitamini	A vitamini (beta karoten, şeker)
Orak hücre anemisi	Sıtma
Ebola-evre 2	Ebola-evre 1
Düşük ortalama trombosit hacmi (MPV)	Yüksek ortalama trombosit hacmi (MPV)
Kalp krizi	Sitomegalovirüs
Mutluluk (yüksek dopamin)	Kardiyojenik şok ve Kardiyak Arrest
D vitamini	
Kalsiyum	Depresyon (düşük dopamin)
B12 vitamini	Magnezyum
Çinko	C vitamini
Düşük Homosistein	K vitamini
Alkol	Ütü
Kan inceltme	Yüksek Homosistein
Yüksek HDL kolesterol (iyi kolesterol)	Kafein
	Kan pıhtısı
Düşük LDL kolesterol (kötü kolesterol)	Düşük HDL kolesterol (iyi kolesterol)
statinler	Yüksek LDL kolesterol (kötü kolesterol)
Sodyum	
hidroksiklorokin	Yüksek Trigliseritler
remdesivir	Kemoterapi
ivermektin	Potasyum
Yüksek karaciğer enzimleri	COVID-19
heparin	Arsenik
Tiamin	

Şimdi bu listeyi daha fazla açıklayabilir ve geniş bir diziye girebiliriz. yaşam süreçlerimizde her zaman mevcut olan diğer bileşenler. Düzeni ve her iki tarafı oluşturan bileşenleri gözlemleyerek, diğer formların, maddelerin, parçacıkların, besinlerin, vitaminlerin, minerallerin ve semptomların nereye sığacağını daha kolay tahmin etmeye başlayabiliriz. Örneğin, D vitamini ve kanser birinci tarafta yer aldığından, güneş ışığının kendisinin birinci tarafta yer alacağını varsayabiliriz. Bunu temel alarak, birinci tarafa radyasyon da ekleyebiliriz. Radyasyona maruz kalmayla birlikte görülen mide bulantısı, morarma ve kanama yan etkisi, birinci taraftaki kan inceltici ve mide sorunu bileşenleriyle bağlantısını doğrular. Bu tahsise ilişkin kafa karışıklığı, radyasyon tedavisinin belirli kanserleri tedavi etmek için kullanılmış olmasından kaynaklanabilir. Radyasyon, kanser hücrelerinin DNA'sına zarar vererek çalışır ve böylece onların çoğalmasını engeller. Bu sonuçta hem kanser hücrelerinin hem de kanser olmayan hücrelerin ölmesine neden olur. Bu sonuç, vücuttaki anti-tümör mekanizmalarının yeniden etkinleştirilmesinin gerçekleşmesini gerektirmez, eğer durum böyleyse (anti-tümör mekanizmalarının yeniden etkinleştirilmesi gerçekleşmediyse), o zaman bu sadece bazı durumlarda nüksetme şansını artıracaktır. Kanser hücrelerinin büyük bir kısmı radyasyon tedavisinden kurtulur. Bu bakış açısıyla, radyasyon kanserin müttefiki olarak birinci tarafa yerleştirilebilir.

Endişe yaratan üç biyolojik ajan, Anthrax, Ebola ve Small-pox'tur. Bölümün başlarında, sağlık ebolasının hangi tarafının belirlenebileceğine dair bir analiz yaptım. Ebola'nın aşamalarını araştırdıktan sonra -- ilk belirtilerin grip/koronavirüs benzeri olması ve sonraki belirtilerin daha çok gastro ile ilişkili olması -- ebola semptomlarının sonraki aşamasının (mideyle ilişkili olan) birinci tarafta yer alması gerektiği konusunda fikir birliğine vardım. Tesadüfen, ebola'nın sonraki aşamalarında meydana gelen ağır kanama, birinci tarafa uymasının bir başka nedenidir; kan inceltici birinci tarafta. Ayrıca, kan damarı duvarlarında sürekli delikler açarak kan damarlarına zarar veren yüksek beyaz kan hücresi sayısı veya lökositoz, atamayı daha da doğrular; yüksek beyaz küre sayısı birinci taraftadır. Tüm bunlar, ebola'nın sonraki aşamalarının (veya 2. aşamanın) birinci taraf için iyi bir uyum sağlamasına izin verir. Bu hastalık ilerlemesi, şarbon soluma ile ortaya çıkan aşamalara çok benzer. Şarbon inhalasyonunun ilk semptomları grip/koronavirüs benzeri semptomlardır. Daha sonraki semptomlar gastro/kanama ile ilişkilidir. Ebola ve inhalasyon şarbonu arasındaki en büyük fark beyaz küre sayısıdır. Ebolada, hastalarda anormal derecede yüksek bir beyaz kan hücresi sayımı olan lökositoz gelişmesi yaygın bir durumdur. Şarbon inhalasyonunda hastaların daha geç evrede ortaya çıkan gastroenterit ile beyaz küre sayısının daha düşük olduğu tespit edilmiştir. Çalışmalar, şarbondaki bir toksinin beyaz kan hücrelerini felç edebildiğini ve böylece enfeksiyonla savaşmalarını engellediğini bulmuştur. Listemiz açısından bu, şarbonun tahsis sürecini zorlaştırıyor. Kanın pıhtılaşmasını engellemesi ve mide semptomlarının tezahürü, birinci taraftaki bileşenlerle uyumludur. Bununla birlikte, tezimize göre, bahsi geçen bu problemler, beyaz kan hücre sayısında bir miktar artışa yol açacaktır (yüksek beyaz kan hücresi sayısı da birinci taraftadır), ancak görünüşe göre inhalasyon şarbonunda durum böyle değil. Bununla birlikte, CDC'nin Ulusal Bulaşıcı Hastalıklar Merkezi müdür yardımcısı Dr Julie Gerberding ile 2001 CDC (Hastalık Kontrol Merkezleri) ile yapılan bir röportajda, "Şimdiye kadar incelenen vakalardan biliyoruz ki, hastaların çoğunun inhalasyon şarbonda yüksek beyaz kan hücresi sayısı veya beyaz hücre sayısında akut inflamasyon belirtileri vardı ve belki daha da önemlisi, hastaların hiçbirinde düşük beyaz hücre sayısı veya lenfosit sayısında artış yoktu." Eğer durum buysa, o zaman Soluma şarbonu(2. aşama) ebola 2. aşama ile birinci tarafa gider. Bu nedenle, hem ebola hem de şarbon soluma durumunda, beyaz kan hücrelerinin gripte geçici olarak felç olduğunu söyleyebiliriz. koronavirüs aşaması, bu nedenle grip/koronavirüs aşaması sona erdiğinde WBC'lerin aşırı reaktif çığına neden oluyor...... kanama ve gastroenterit ve nihai olarak solunum yetmezliği gibi semptomların etkilerine yol açıyor. Bir dizi inhalasyon şarbonu vakasında hipotansiyonun belgelendiğini not etmek önemlidir. Hipotansiyon düşük tansiyondur ve inhalasyon şarbonunun (aşama 2) olacağı tarafta değildir. İkinci tarafta. Tezimiz, hipertansiyonun (yüksek tansiyon) birinci taraftaki inhalasyon şarbonuyla bağlantılı olacağı sonucuna varacaktır. Yüksek tansiyon birinci tarafta. Bunu çözmek için, şarbon inhalasyonundan kaynaklanan dispne ve terlemenin hipertansif olarak (olası pulmoner hipertansiyon) indüklendiği ve bunu izleyen progresif oksijen kaybının, şarbon inhalasyonundan ölüme yakın meydana gelen hipotansiyonun nedeni olduğu sonucuna varmalıyız. İşte sağlığın birinci ve ikinci tarafının güncellemesi:

Sağlığın birinci tarafı
Tip 1 interferon yanıtı
Yüksek beyaz kan hücresi
Yüksek kan insülini
Kanser
Mide problemleri
E vitamini
Orak hücre anemisi
Ebola-evre 2
Düşük ortalama trombosit hacmi
(MPV)
Kalp krizi
Mutluluk (yüksek dopamin)
D vitamini
Kalsiyum
B12 vitamini
Çinko
Düşük Homosistein
Alkol
Kan inceltme
Yüksek HDL kolesterol
(iyi kolesterol)
Düşük LDL kolesterol
(kötü kolesterol)
statinler
Sodyum
hidroksiklorokin
remdesivir
ivermektin
Yüksek karaciğer enzimleri
heparin
Tiamin
Radyasyon
Soluma Şarbon-evre 2(gastro
semptomları)
Güneş

Sağlığın ikinci tarafı
antikor oluşumu
Düşük Beyaz kan hücresi
Düşük kan insülini
Düşük kan basıncı
grip/koronavirüs belirtileri
A vitamini (beta karoten, şeker)
Sıtma
Ebola-evre 1 (grip belirtileri)
Yüksek ortalama trombosit
hacmi (MPV)
Sitomegalovirüs
Kardiyojenik şok ve Kardiyak
Arrest
Depresyon (düşük dopamin)
Magnezyum
C vitamini
K vitamini
Ütü
Yüksek Homosistein
Kafein
Kan pıhtısı
Düşük HDL kolesterol
(iyi kolesterol)
Yüksek LDL kolesterol
(kötü kolesterol)
Yüksek Trigliseritler
Kemoterapi
Potasyum
COVID-19
Arsenik
Soluma Şarbon-evre 1(grip
semptomlar)

Diğer bir biyolojik ajan ise botulizme neden olan Botulinum toksinidir. Clostridium botulinum adlı bakteriden elde edilir. Botulizm, vücutta nörotransmitterlere saldırarak sinir hasarı, felç ve nihayetinde solunum yetmezliği ve ölüm gibi semptomlara neden olarak çalışır. Diğer semptomlar, sarkık göz kapakları ile birlikte konuşma, görme ve yutma güçlüğüdür. Ayrıca gövdede başlayan ve nihai bir kas felci ve nefes almada zorluk başlamadan önce uzuvlara hareket eden kas zayıflığı da vardır. En yaygın ilk semptom kabızlık ve gıda kaynaklı botulizmdir - baş dönmesi ve mide bulantısı. Bunlar daha sonra kas güçsüzlüğü ve nörolojik problemlerden önce gelir. Botulizm, aerosol veya gıda yoluyla yayılır. Jan Glarum, Don Birou ve Edward CetarukMD tarafından yapılan ve Muhtemel Kitlesel Kaza Olaylarının ve Potansiyel Hastane Etkisinin Değerlendirilmesi başlıklı bir araştırmaya göre, "Botulinum toksini VX sinir ajanından 15.000 kat daha zehirli ve sarinden 100.000 kat daha zehirlidir." https://doi.org/10.1016/B978-1-85617-701-6.00002-4. Bu, bu toksinin olası bir silah haline getirilmesiyle ilgili tehlikenin büyüklüğünü vurgulamaktadır. Botulizmin bu çerçevede nereye oturduğunu görmek için sağlığın birinci ve ikinci tarafını gözlemlerken, bu biyolojik ajanın nörotransmiterlere saldırmak olan temel işleyişine geri dönebiliriz. Botülizme yakalandıktan sonra yaşamsal belirtilerde gözle görülür bir değişiklik olmadığından, botulizmi çok güçlü bir nörolojik bileşenle dopamin temasına sahip olmaya bağlayabiliriz. Botulizm'in görme sorunları, yutma güçlüğü, geveleyerek konuşma ve kas güçsüzlüğü gibi sonraki semptomları, dopamin eksikliğininkileri güçlü bir şekilde yansıtır: diplopi (çift görme)/yeme ve yutma güçlüğü/konuşma ve sözcük oluşturma güçlüğü/vücudu dik konumda tutma sorunları/vücudu dik tutmada güçlükler ayakta dururken ve yürürken denge/kontrol edilemeyen göz hareketleri. Dopamin eksikliğindeki diplopi semptomlarının kaynağı, Parkinson hastalığı ile ilgili bir çalışmadan gelmektedir ve burada "Dopamin, ışığa uyum, okülomotor kontrol, kontrast duyarlılığı, renkli görme, görsel uzamsal yapı ve uzamsal çalışma belleği [4–6]. Dopamin eksikliği bu nedenle Parkinson hastalarında diplopi gibi bir dizi görme bozukluğuna yol açabilir." Lütfen Parkinson hastalığından muzdarip kişilerin beyin dopamin konsantrasyonlarının düşük olduğunu unutmayın. Hem dopamin eksikliği semptomları hem de botulizm arasındaki benzerlikler, botulizmi sağlığın ikinci tarafında, zaten düşük dopaminin bulunduğu yerde belirlememize izin verir. Düşük dopamin ile tekabül ettiği için buraya Parkinson hastalığını da ekleyebiliriz. Bu, botulizmi biyolojik bir ajan olarak gözlemlememize izin verir, ancak semptom tipolojisi ebola veya şarbona biraz zıttır. Ebola ve şarbon mide ile ilgili hale gelmeden önce grip/koronavirüs benzeri başlar. botulizm, biraz tersine, nörolojik/dopaminerjik bozukluklar tarafından takip edilmeden önce (bazı durumlarda) gastro problemli semptomlarla başlar.

Veba (Yersinia Pestis), enfeksiyon sırasında ciltte oluşan siyah kabuklar nedeniyle en meşhur "Kara ölüm" olarak adlandırılmıştır. 14. yüzyılda, hastalık Avrupa nüfusunun üçte birini yok etti. Öncelikle fareler, fareler, sincaplar ve tavşanlar gibi kemirgenler tarafından kapılır. İnsanlara bu kemirgenlerin enfekte pirelerinin, özellikle de sıçan pirelerinin ısırmasıyla bulaşır. Enfeksiyon farklı şekillerde ortaya çıkar: hıyarcıklı, septisemik ve pnömonik. Lenf düğümlerinin hıyarcıklı veba enfeksiyonu çoğunlukla grip/koronavirüs benzeri semptomlara neden olur: yüksek ateş, titreme, kas ağrıları, baş ağrıları, aşırı halsizlik ve şişmiş lenf düğümleri. Zamanında antibiyotik tedavisi vakaların %90'ını çözer. Bununla birlikte, tedavi edilmediğinde, Hıyarcıklı vebanın Y. pestis bakterisi sonunda kan dolaşımına girer ve enfekte olan kişi daha sonra Septisemik veba adı verilen hastalığa yakalanır. Septisemik veba semptomları gastro ile ilişkilidir ve mide bulantısı, kusma, ishal ve karın ağrısını içerir. Enfekte kişide ayrıca ciddi kanama sorunları, morluklar, idrarda ve ağız, burun ve rektumdan kan gelir. Kanama problemlerini ciddi nefes alma güçlükleri ve hatta ölüm takip eder. Zamanında tedavi ile insanların %75 ila %80'i hayatta kalır. Farklı aşamalarda aynı enfeksiyon olarak hıyarcıklı ve septisemik veba arasındaki bağlantı, hem ebola hem de şarbonda gördüğümüz modeli izler; burada birinci aşama grip/koronavirüs benzeri semptomlar gösterir ve ikinci aşama mide/kanama semptomlarıyla sonuçlanır. Ebola ve şarbonda, grip/koronavirüs benzeri hastalık (ikinci taraf), mide/kanama ve listemizin birinci tarafı ile ilgili her şeyin çığını tetiklemek için neredeyse bir ateşleyici görevi görür. Veba ile ebola ve şarbon arasındaki fark, veba enfeksiyonunun birinci ve ikinci aşamalarına sırasıyla Hıyarcıklı ve Septisemik olmak üzere farklı adlar verilmesidir. Aynı enfeksiyonun evreleri arasındaki bu ayrım, şarbon ve ebola olarak adlandırılmaz. Vebanın semptomatik yönleri, grip/koronavirüs benzeri hastalıklarla seyreden Hıyarcıklı vebayı ikinci tarafa ve Septisemik vebayı mide sorunları, şarbon (2. aşama) ve ebola (2. aşama) ile birlikte birinci tarafa ayırmamıza izin verir. Başka bir veba türü, Y. pestis bakterisi akciğerleri etkilediğinde meydana gelen Pnömoniktir. Semptomlar grip/koronavirüs benzeridir ve Y. pestis bakterisi içeren enfekte insanlardan veya hayvanlardan damlacıkların solunması yoluyla bulaşır. Bu en nadir biçimdir, ancak bir biyoterörizm ajanı olarak kolayca silah haline getirilebilir. Pnömonik veba ikinci tarafa giderdi. Uygun şekilde tahsis edilmiş botulizm ve veba ile güncellenmiş listelerimiz:

Sağlığın birinci tarafı	Sağlığın ikinci tarafı
Tip 1 interferon yanıtı	antikor oluşumu
Yüksek beyaz kan hücresi	Düşük Beyaz kan hücresi
Yüksek kan insülini	Düşük kan insülini
Kanser	Düşük kan basıncı
Mide problemleri	grip/koronavirüs belirtileri
E vitamini	A vitamini (beta karoten, şeker)
Orak hücre anemisi	Sıtma
Ebola-evre 2	Ebola-evre 1 (grip belirtileri)
Düşük ortalama trombosit hacmi (MPV)	Yüksek ortalama trombosit hacmi (MPV)
Kalp krizi	Sitomegalovirüs
Mutluluk (yüksek dopamin)	Kardiyojenik şok ve Kardiyak Arrest
D vitamini	
Kalsiyum	Depresyon (düşük dopamin)
B12 vitamini	Magnezyum
Çinko	C vitamini
Düşük Homosistein	K vitamini
Alkol	Ütü
Kan inceltme	Yüksek Homosistein
Yüksek HDL kolesterol (iyi kolesterol)	Kafein
	Kan pıhtısı
Düşük LDL kolesterol (kötü kolesterol)	Düşük HDL kolesterol (iyi kolesterol)
statinler	Yüksek LDL kolesterol (kötü kolesterol)
Sodyum	
hidroksiklorokin	Yüksek Trigliseritler
remdesivir	Kemoterapi
ivermektin	Potasyum
Yüksek karaciğer enzimleri	COVID-19
heparin	Arsenik
Tiamin	Soluma Şarbon-evre 1(grip semptomlar)
Radyasyon	
Soluma Şarbon-evre 2(gastro semptomları)	botulizm
Güneş	Parkinson hastalığı
septisemik veba	Hıyarcıklı veba
	Pnömoni veba
	bulutlar

Radyasyonla birlikte güneşi sağlığın bir tarafında gözlemleyerek ve D Vitamini, ısı emilimini birinci tarafa ve ısı rejeksiyonunu ikinci tarafa tahsis ederek daha da açıklayabiliriz. Buna ek olarak, yüzey rengini de hesaba katabiliriz. Siyah yüzeyler ısıyı emdiği için birinci tarafa siyah yüzeyler ekleyebiliriz; beyaz yüzeyler ikinci tarafa. Oradan sağlığın birinci ve ikinci yüzünün geri kalanını periyodik tablonun tüm elementleriyle renklerine göre doldurabiliriz. Siyah, mavi, koyu kırmızı, yeşil kahverengi, gri ve gümüş - daha koyu renkler olarak ısı emme özelliklerinden dolayı - birinci tarafa geçebilir. Beyaz, beyaz-gümüş veya sarı renkler - daha açık renkler olarak ısı yansıtma özelliklerinden dolayı - ikinci tarafa geçebilirler. Elementlerin renk kaynakları CRC Handbook of Chemistry and Physics, 88. [baskı] , The Yaws Handbook of Physical Properties for Hydrocarbons and Chemicals ve Chemicool Periyodik Tablo'dur.

"Bakır"ın birinci tarafa yerleştirilmesini hesaba katmak için "Çinko"nun ikinci tarafa taşındığını lütfen unutmayın. Çalışmalar, yüksek çinko/düşük bakır düzeylerinin düşük beyaz küre sayısı, lökopeni, nötropeni ve anemi ile ilişkili olduğunu göstermiştir. Düşük beyaz küre sayısı ikinci tarafta. Bakır ve Çinko birbirine düşmandır.

Sağlığın birinci tarafı
Tip 1 interferon yanıtı
Yüksek beyaz kan hücresi
Yüksek kan insülini
Kanser
Mide problemleri
E vitamini
Orak hücre anemisi
Ebola-evre 2
Düşük ortalama trombosit hacmi (MPV)
Kalp krizi
Mutluluk (yüksek dopamin)
D vitamini
Kalsiyum
B12 vitamini
Düşük Homosistein
Alkol
Kan inceltme
Yüksek HDL kolesterol (iyi kolesterol)
Düşük LDL kolesterol (kötü kolesterol)
statinler
Sodyum
hidroksiklorokin
remdesivir
ivermektin
Yüksek karaciğer enzimleri
heparin
Tiamin
Radyasyon
Soluma Şarbon-evre 2(gastro semptomlar)
Güneş
septisemik veba
Siyah yüzeyler
Isı emilimi
Aktinyum-gümüş metal
Americium-gümüş metal
Antimon-gümüş metal

Sağlığın ikinci tarafı
antikor oluşumu
Düşük Beyaz kan hücresi
Düşük kan insülini
Düşük kan basıncı
grip/koronavirüs belirtileri
A vitamini (beta karoten, şeker)
Sıtma
Ebola-evre 1 (grip belirtileri)
Yüksek ortalama trombosit hacmi (MPV)
Sitomegalovirüs
Kardiyojenik şok ve Kardiyak Arrest
Depresyon (düşük dopamin)
Magnezyum
C vitamini
K vitamini
Ütü
Yüksek Homosistein
Kafein
Kan pıhtısı
Düşük HDL kolesterol (iyi kolesterol)
Yüksek LDL kolesterol (kötü kolesterol)
Yüksek Trigliseritler
Kemoterapi
Potasyum
COVID-19
Arsenik
Soluma Şarbon-evre 1(grip semptomlar)
botulizm
Parkinson hastalığı
Hıyarcıklı veba
Pnömoni veba
bulutlar
Beyaz yüzeyler
ısı redüksiyonu
Alüminyum-gümüş-beyaz metal
argon renksiz gaz

Birinci taraf...devamı
Gri arsenik-gri metal
Astatin-çok koyu olduğu
varsayılır
berilyum çelik gri
Bor-siyah eşkenar dörtgen
kristaller
Brom kırmızısı sıvı
Kalsiyum-gümüş-gri metal
Karbon/grafit yumuşaklığında
siyah
altıgen kristaller
Fullerene-C70-kırmızı-
kahverengi katı
Karbon siyahı-ince siyah toz
Seryum-gümüş metal
krom-mavi-beyaz metal
kobalt grisi metal
Bakır kırmızısı metal
Curium-gümüş metal
Disprosyum-gümüş metal
Erbiyum-gümüş metal
Europium-yumuşak gümüşi
metal
Fransiyum-gümüş-gri-metalik
Gadolinyum-gümüş metal
Galyum-gümüşsü sıvı veya gri
ortorombik kristaller
hafniyum grisi metal
Holmiyum-gümüş metal
iyot-mavi-siyah plakalar
Lantan-gümüş metal
Kurşun yumuşaklığında gümüş
grisi metal
Lutesyum-gümüş metal
Manganez-sert gri metal
Cıva ağırlıklı gümüşi sıvı
Molibden-gri-siyah metal
Neodimyum-gümüş metal
Neptünyum-gümüş metal
niyobyum gri metal
Osmiyum-mavi-beyaz metal
Ozon mavisi gaz

İkinci taraf...devamı
Sarı Arsenik-yumuşak sarı kübik
kristaller
Baryum-gümüş-sarı metal
Berkelium-gümüş-beyaz
Bizmut-gri-beyaz yumuşak metal
Kaliforniyum-gümüş-beyaz
Fullerene-C60-sarı iğneler veya
plakalar
sezyum-gümüş-beyaz metal
Klor-yeşil-sarı gaz
Flor-soluk sarı gaz
Germanyum grisi beyaz kübik
kristaller
Altın yumuşaklığında sarı metal
Helyum renksiz gaz
hidrojen renksiz
Kripton renksiz gaz
indiyum yumuşak beyaz metal
İridyum-gümüş-beyaz metal
Demir-gümüş-beyaz veya gri metal
Lityum yumuşak gümüşi beyaz metal
Magnezyum-gümüş-beyaz metal
Neon renksiz gaz
nitrojen renksiz gaz
nikel-beyaz metal
Paladyum-gümüş-beyaz metal
Beyaz fosfor-Beyaz fosfor genellikle
soluk sarıdır.
Plütonyum-gümüş-beyaz metal
Potasyum yumuşak gümüşi beyaz
metal
Radyum-beyaz metal
Rodyum-gümüş-beyaz metal
Rutenyum-gümüş-beyaz metal
Stronsiyum-gümüş-beyaz metal
Kükürt(α-ortorombik)-sarı ortorombik
kristaller
Kükürt(β-monoklinik)-sarı monoklinik
iğneler
Tellür-gri-beyaz eşkenar dörtgen
kristaller
Talyum-yumuşak mavi-beyaz metal

Birinci taraf...devamı
Oksijen renksiz gaz
Praseodim-gümüş metal
Siyah fosfor-siyah ortorombik
kristaller
Kırmızı fosfor-kırmızı-mor
amorf toz
Platin-gümüş-gri metal
Polonyum-gümüş metal
Promethium-gümüş metal
Protaktinyum-gümüş metal
Radon renksiz gaz
Renyum-gümüş-gri metal
Rubidyum-yumuşak gümüşi
metal
Samaryum-gümüş metal
Scandium-gümüş metal
Gri Selenyum grisi metalik
kristaller
Camsı Selenyum-siyah şekilsiz
katı
Selenyum(A-Monoklinik)-kırmızı
monoklinik kristaller
Silikon grisi kristaller veya
kahverengi şekilsiz katı
gümüş-gümüş metal
Sodyum-yumuşak gümüşi metal
Tantal grisi metal
Teknesyum-gümüş-gri

Terbiyum-gümüş metal
tulyum-gümüş metal
titanyum grisi metal
Ytterbium-gümüş metal
İtriyum-gümüş metal

İkinci taraf...devamı
Toryum-yumuşak gri-beyaz metal
Kalay-gümüş-beyaz
Tungsten-gri-beyaz metal
Uranyum-gümüş-beyaz
ortorombik kristaller
Vanadyum-gri-beyaz metal
Radon renksiz gaz
Zirkonyum-gri-beyaz metal
çinko-mavi-beyaz metal

Clinical Case Reports Journal Cilt 8, Sayı 9 Eylül 2020 https://doi.org/10.1002/ccr3.2987 Sayfa 1666-1671'de, Mayıs 2020'de yayınlanan Çinko kaynaklı bakır eksikliği, sideroblastik anemi ve nötropeni başlıklı bir araştırma makalesi : Araştırmacılar Ahsan Wahab, Kamran Mushtaq, Samuel G. Borak ve Naresh Bellam'ın çinko fazlalığının şaşırtıcı bir yönü, çinko toksisitesi/bakır eksikliğinden muzdarip birini içeren bir vaka çalışmasının analizini verdi.

Hastanın başlangıçtaki düşük lökosit sayısının bakır takviyesinden sonra çözüldüğü kaydedildi. 2 ay boyunca günde 2 mg oral elemental bakır (yüksek çinkoya karşı koymak için) verildikten sonra beyaz küre sayısı normal seviyelere yükseldi.

Çinko'nun grip benzeri hastalıklarla mücadelede sahip olduğu herhangi bir rol artık çinkonun kendisiyle değil (çünkü artık birinci taraftan ikinci tarafa taşınmıştır), ancak çinko/bakır dengesi mevcut olduğunda meydana gelen bakır homeostazı ile ilişkilendirilmelidir. vücut.

Çinko eksikliğini belirli kanserlere bağlayan diğer çalışmalar, çinkonun kansere karşı bir savaşçı olarak ikinci tarafa yerleştirilmesindeki bu değişikliği doğrulamaya yardımcı olur.

Bu yeni formüle edilmiş yan bir/yan iki düzeninden fark edeceksiniz (tahsis edilen tüm elementlerle birlikte) oksijen birinci tarafa yerleştirildi. Bu, düşük kan basıncı (ikinci taraf) ve düşük oksijen arasındaki korelasyon nedeniyle yapıldı. Sonuç olarak, bu, argon, helyum, nitrojen vb. gibi tüm boğucu gazların ikinci tarafa gitmesi gerektiğini, çünkü ana bileşenleri oksijenin yerini almak olduğunu varsaymamı sağladı. Karışıklığı önlemek için gözlemlenmesi gereken bir diğer önemli nokta, radyasyon elementlerinin birçoğunun radyasyonun kendisinin karşısına yerleştirilme şeklidir. Bu niteliği anlamanın en iyi yolu, suyun - ısıtıldığında - bir kişiyi gerçek sudan farklı şekilde etkileyecek bir ısı yayacağını anlamaktır, bu su ısıtılmadan bırakılır ve tüketilir. Ayrıca radyoaktif bozunma kavramı, sağlığın zıt tarafları teziyle de örtüşmektedir.

Radyoaktif bozunma, bir atom çekirdeği nötronlarla bombalandığında meydana gelir, böylece çekirdek içindeki protonlar ve nötronlar arasında bir dengesizlik oluşur. Nötronlar daha sonra atomların 2 daha küçük atoma bölünmesine neden olur. 2 küçük atom daha sonra daha fazla nötron salar. Bu nötronlar 2 küçük atoma çarpar ve bu 2 atomun her birinin daha küçük 2 atoma bölünmesine neden olur ve geriye toplamda 4 küçük atom kalır. Bu 4 küçük atom daha sonra, bu 4 küçük atomun her birine çarpan nötronları serbest bırakır ve bu atomların her birinin ikiye bölünmesine neden olur. Bu zincirleme reaksiyon basitçe devam eder ve buna fisyon süreci denir. Atomların daha küçük atomlara ayrıldığı radyoaktif bozunmanın bu fisyon süreci, atomların daha yüksek atom numarasına sahip bir elementin daha düşük atom numarasına sahip 2 elemente ayrıldığı periyodik tablodaki elementler olarak gözlemlenmesiyle en iyi şekilde anlaşılabilir. Örneğin, Uranyum 235 nötronlar tarafından bombalandığında, nötronları emer ve her ikisi de Uranyum'dan daha düşük atom numaralarına sahip olan bir Kripton atomu ve bir Baryum atomuna ayrılmadan önce Uranyum-236 olur. Bu nükleer süreç, bu teze göre, birinci tarafın (ısı ve radyasyonun bulunduğu yer) ikinci tarafı (radyoaktif elementlerin çoğunun bulunduğu yer) devralması olarak anlaşılabilir.... atom çekirdeği ve fisyon işlemi sırasında müteakip radyoaktif bozunma. Bu, nötronları birinci tarafa ve protonları ikinci tarafa tahsis etmemizi sağlar. Ayrıca, proton yakalamanın, ikinci tarafın birinci tarafı ele geçirmesi gibi büyük ölçekli bir reaksiyon açısından etkili olacağını varsaymaya başlayabiliriz - muhtemelen aşırı soğuğa neden olacak ve böylece yoluna çıkan her şeyi donduracak bir şey. Kriyojenik bir reaksiyon olurdu.

Fisyona (muazzam ısı enerjisi üreten radyoaktif bozunma) karşıt süreci varsaymak söz konusu olduğunda, plütonyum üretiminin temellerine geri dönülebilir. İkinci Dünya Savaşı sırasında, Washington, Hanford'daki plütonyum üretim sahasındaki B reaktöründe, bilim adamları Uranyum'u birkaç yıl boyunca nötronlarla bombaladılar. aşırı sıcak Uranyum ve yakıt elementlerini soğutmak için B Reaktörünün çekirdeğinin arkasındaki bir su havuzuna yerleştirmeden haftalar önce. Bu süre zarfında, Uranyum plütonyuma dönüştü ve diğer fisyon ürünlerinden gelen radyasyon azaldı. Fisyon ürünleri, nötronlar tarafından bombardımana tutulan Uranyum'un fisyon işlemi sırasında atomlar daha küçük atomlara bölündüğünde ortaya çıkan, giderek daha küçük kararsız elementlerdir. Uranyum suda depolandığında, Uranyum 238 (bir Uranyum izotopu) bir nötron emdi ve uranyum-239 oldu. Daha sonra bu nötronu bir protona dönüştürdü. Bir elementin atom numarası proton sayısı olduğundan, bir atomun bir nötronu protona dönüştürme süreci, atomun yeni bir element olarak tanımlanmasını doğrular. Uranyum o dönemde en ağır ve atom numarası en yüksek element olduğu için, bir Uranyum atomunun bir nötronu protona dönüştürmesinden doğan yeni bir element periyodik tabloya eklenecekti. Bu durumda, yeni elemente Neptunium adı verildi. Bu nedenle Uranium-239, Neptunium-239 oldu. Neptunium-239, 2,5 gün içinde bir nötronu protona dönüştürdü ve bu, bu durumda Plütonyum veya Plütonyum 239 olarak adlandırılan yeni bir elementin tanımlanmasını doğruladı. Uranyum yakıt elementleri soğutulurken gerçekleşen bu süreç, fisyonda meydana gelen ısı üreten radyoaktif bozunmanın aksine, soğuk üretim sürecinin atomların sürekli olarak bir nötronu bir protona dönüştürdüğü bir zincirleme reaksiyonu içereceğini varsaymamıza olanak tanır. ve böylece süreçte yeni öğeler yaratmak - yalnızca bu sürecin sonunda ortaya çıkacak olan son öğeden tanımlanıp adlandırılabilecek öğeler. Bu aşırı soğutma durumunda bu yeni elementleri takip etmek için, aşırı soğutma sürecinden sonra, aşırı düşük sıcaklıkları normal sıcaklıklara getirecek elementleri bir su deposuna yerleştirmek gerekir. Böyle bir süreç sırasında, radyoaktif bozunma meydana gelir ve suyu, çözücü ekstraksiyon teknikleri ve spektroskopi kullanılarak tanımlanması ve adlandırılması gereken bilinmeyen elementlerle dolu bırakır.

Kendi kendini idame ettiren bir zincirleme reaksiyonun nasıl sürekli olarak yeni elementler yaratacağına ve muazzam miktarda soğumaya neden olacağına dair bir hipotez, beta radyasyon sürecini anlayarak tahmin edilebilir: Uranyum-238, fisyon sırasında bir nötronu emer ve Uranyum-239 olur; 23 dakika(su deposunda)--beta bozunur ve bir nötronu protona dönüştürür ve Neptunium239 olur, kendisi de (su deposunda) 2,5 gün sonra aynısını yapar ve Plütonyum-239 olur. Plütonyum-239, Americium-239 olmadan önce yaklaşık 24.100 yıllık bir yarı ömre sahiptir. Bununla birlikte, 4 nötronun emilmesi üzerine plütonyum-239, 5 saatlik bir yarı ömre sahip olan plütonyum 243'e dönüşür. Uranyum-239, su depolama aşamasında nötronlarla bombardımana tutulursa, izotoplar sürekli olarak kısa yarılanma ömrüne sahip yeni elementel izotoplara bozunur ve böylece çok daha hızlı bir şekilde muazzam miktarda soğuma yayar. (Hipotez, yeni elementlerin oluşumunun soğumaya neden olduğu yönündedir) Normal su olan Oksijen-15 etiketli suyun kullanılması, ancak oksijen atomunun oksijen-15 ile değiştirilmesi muhtemelen bir izotopun yarı ömrünü hızlandırabilir. Pozitron yayan bir izotop olarak oksijen-15, her yeni izotopun sonunda bir elektron saldığı ve nötronu bir protona dönüştürdüğü süreci hızlandırmaya yardımcı olacak bir ortam yaratacaktır. Bunun arkasındaki fikir, pozitronların (pozitif yüklü atom altı parçacıklar) varlığının atomun elektronları üzerinde çekici bir basınç uygulayacağı ve böylece atomun yarı ömrünü azaltacak şekilde atomdan atılma sürecini hızlandıracağıdır. yeni bir atom haline dönüşme süresi. Varsayımsal olarak, bunu bir nükleer bombanın yoğun radyasyon salınımını dengeleyebilecek bir kriyojenik patlamaya dönüştürmek, oksijen-15 oluşturan bir nitrojen gazının döteron bombardımanı aparatı içinde uranyum-239'un tutulmasını gerektirecektir. Bu, uranyum239'un Neptünyum'a, Neptunyum'un Plütonyum'a, Plütonyum'un Americium'a dönüştüğü aşırı soğutma zinciri reaksiyonunu yaratacaktır... Böyle bir sonuç, sağlığın birinci tarafı ve ikinci tarafının birbirine zıt, ancak geniş ölçekte olduğu felsefesinden faydalanmak olacaktır. Bir nükleer patlama, birinci yan reaksiyon olarak varsayılırken, kriyojenik bir patlama, onu dengelemek için yan iki reaksiyon olarak varsayılır.

Nükleer savunma için başka bir olasılık, nükleer reaktörlerde gerçekleşen Uranyum-235 fisyon işleminin bir ürünü olan Xenon-135'in izolasyonu ve kullanımıdır. Ekstra nötronları emerek genellikle nükleer reaktörleri soğutan bir nötron soğurucu olarak, Xenon-135'in lazer savunma teknolojisinde kullanımı, temas ettiği herhangi bir atomik füzenin nükleer reaksiyonunu zehirleyebilir. Difüzyon yoluyla, Xenon-135 gazı füzeye nüfuz edebilir. Teorik olarak, yeterince yüksek bir sıcaklık ve basınçta, hedefle temas halinde olan bir Xenon-135 ile çalışan lazer ışını (en azından - yüksek güçlü lazer ışınlarının füzeleri yok ettiğini akılda tutarak) hedefin dış bileşenlerine yayılır ve onları enfekte eder. içindeki fisyon elementleri ve böylece füze sonunda patladığında uygun bir nükleer fisyon reaksiyonunun meydana gelme şansını azaltır.

Bölüm 3: Yeraltı Savaşı

Sağlığın 2 yönüyle ilgili bu tezi temel alarak, her şeyin nasıl zıt veya dengeleyici bir etkisinin olması gerektiğini daha da açıklayacak bir açıklama sunuyorum. Hava gücü ile yer altı gücü arasındaki karşıt etkiye bakacağız. Savaş tarihi boyunca, yeraltı yapıları düşman kuvvetlerine karşı büyük bir başarıyla kullanılmıştır. 7. yüzyıldaki Arap istilaları sırasında keşişler, yer altına saklanarak Arap kuvvetlerinden başarılı bir şekilde kaçabileceklerini keşfettiler. İkinci Dünya Savaşı'nda Japonlar, ABD hava gücüne karşı yer altı tahkimatları inşa etmede etkiliydiler ve Japon hava kuvvetlerine karşı yer altı tahkimatları inşa eden Çinliler de öyleydi. . Vietnam savaşı sırasında Vietnamlılar, muhtemelen yer altı tahkimatlarının üstün bir hava kuvvetlerine karşı ne kadar etkili olduğunun en iyi örneğiydi. Daha büyük askeri güçlerin çoğu, küçük militan gruplarına karşı bile bu tür bir savunma için güçlü bir yanıta sahip değil. Ortadoğu'daki mevcut çatışma (şu an itibariyle 2002-2021), bu isyancı militan grupların hayatta kalmaya devam etmesiyle gölgelendi. Rusya ve Amerika Birleşik Devletleri gibi büyük güçler son yıllarda kendilerine karşı bir dizi hava saldırısı düzenledi, ancak yalnızca tehdidi tamamen ortadan kaldırmasa da zayıflatmaya yetecek kadar başarılı oldu. İsrail, Gazze Şeridi'ni kontrol eden militan grup Hamas'ın yeraltı operasyonlarında çok sayıda sorunla karşı karşıya kaldı. Hamas'ın kullandığı tüneller, yalnızca Gazze'ye kaynak kaçırmak için değil, bir noktada İsrail topraklarında İsrail askerlerini pusuya düşürüp kaçırmalarına da olanak sağladı. Hamas ayrıca tünelleri kullanarak balistik ateş noktalarını gizleyebiliyor, bu da İsrail'in onları bulmasını ve yok etmesini zorlaştırıyor. Bu yeraltı metodolojisi, IŞİD'in yıllarca hem ABD hem de Rusya hava saldırıları tarafından bombalanmasına rağmen Suriye rejimi askerlerine yönelik pusu saldırılarını nasıl sürdürdüğünü de açıklıyor. Hamas ve IŞİD'in operasyonları ve az sayıda hayatta kalmaya devam etmeleri, yeni bir savaş türü için zemin hazırlıyor: Yeraltı savaşı. Daha büyük güçlerin, giriş ve çıkış noktalarına patlayıcı yerleştirmek dışında, yeraltı güçlerine karşı etkili bir şekilde nasıl savaşılacağı konusunda gerçek bir çözümlerinin olmadığı açıktır. Bununla birlikte, bu, büyük ölçüde etkisizdir, çünkü birçok yeraltı yapısının birden fazla giriş ve çıkış noktasına yol açan dolambaçlı yolları vardır, bu da bunların yok edilmesini çok daha karmaşık hale getirir. Patlayıcılarla yıkılan bölümlerin kolayca onarılabilir olması da yardımcı olmuyor. Bu yeraltı sistemiyle savaşmanın arama ve yok etme yönüyle ilgili bir başka sorun da askerlerin genellikle tünellerin bubi tuzağı olup olmadığını belirleyememeleridir.

Bu tür savaş yüzyıllardır etkili olmuştur; IŞİD ve Hamas'ın yaptığı, ona dikkat çekmek. Aslında, Ortadoğu'daki ve dünyadaki çoğu ulus bu konuda zaten bu yeraltı yapılarına sahiptir ve daha güçlü uluslara karşı ancak az sayıda militan - görece konuşursak - basitçe inşa ederek hayatta kalabildikleri sürece cesaretlendirilecektir. yeraltı tahkimatı. İsrail ve ABD, yer altı tünellerini tespit etmelerini sağlayacak teknoloji üzerinde çalışıyorlar ve başarılı olurlarsa, Ortadoğu'da uzun süredir devam eden çatışmanın sona erdiğini görebiliriz. Olmazsa, oradaki herkesin başka bir ülkenin üstün hava gücüne aldırış etmeden kendi kaderini tayin etmesini bekleyebiliriz. Yeraltı tünellerini tespit etmek için kullanılan teknoloji, sismik veya yerçekimi dedektörlerinin kullanımını içerir. Sismik dedektörler, dünya yüzeyinin altındaki nesnelerden geçerken titreşimleri ölçebilir ve bir tünelin varlığını tanımlayacak ortak bir anormallik bulabilirlerse, bu dedektörler etkili olabilir. Bununla birlikte, bir tünelin bulunabileceği genel alanı tam olarak belirleyen istihbarata ihtiyaç duyulacaktır. Gravimetreler gibi yerçekimi dedektörleri, yüzeyin altındaki yoğunluğa bağlı olarak Dünya'nın yerçekimi kuvvetindeki değişiklikleri tespit edebilir. Yeraltında bir boşluğun varlığı yerçekimi kuvvetini azaltacak ve böylece gravimetrede buna göre görünecektir. Başka bir yöntem, bir boşluk içinde daha düşük bir voltajda hareket edecek olan bir elektrik akımının voltajını ölçmektir. Yere Nüfuz Eden Radar (GPR), tünelleri tespit etmek için kullanılan başka bir cihazdır. GPR, yeraltını görmek için radyo frekansı enerjisi darbeleri kullanır. Bununla birlikte, yeraltında tespit edilen mesafeler sınırlıdır, çünkü maksimum 50 fittir. Tüneller, uyuşturucu kaçakçıları ve militanlar tarafından yüzeyin 100 fit altına kadar kazılmıştır. Hem toprağın hem de betonun yüzlerce fitini delebilen bunker patlatıcıların (ABD tarafından IŞİD'e karşı kullanılan hava bombardıman uçakları) kullanımı, tünellerin olası genişliği nedeniyle hala zorlanmaktadır. Bazı tüneller, kaçmaya ve hasarlı bölümlerin yeniden inşasına izin veren birden fazla dolambaçlı yola sahiptir. Uyuşturucu kaçakçılığı faaliyetlerinde kullanılmasından bağımsız olarak, bir tünel sistemi hem savunma hem de saldırı silahı olduğundan, uyuşturucu kaçakçıları artık ulusal güvenlik açısından çok daha yüksek bir risk oluşturmaktadır. 2021'de ABD/Meksika sınırında iki Husi militanın tutuklanması, savunmasızlık sorununu gündeme getiriyor, çünkü radikal militanların Latin Amerika'ya sızmasının ABD'yi yalnızca ülkeye tespit edilmemiş uyuşturucu girişi anlamına gelme riskiyle karşı karşıya bırakmadığı, ama aynı zamanda Meksika'dan çıkan bir yeraltı tünelinden başlatılan bir militan saldırı veya pusu olasılığını çevreleyen ima.

Hamas ve IŞİD tarafından inşa edilen tünel girişleri yaklaşık 1 metre genişliğinde ve yerin 100 fit altına kadar iniyor. Pnömatik matkaplar genellikle tünelleri kazmak için kullanılır ve işçiler bunları kullanarak günde yaklaşık 2-3 metre yol alır. Militanlar genellikle işi yapmak için vasıflı işçileri kullanır. Bu işçiler normalde bir tünel inşa etmeye giden mühendislik ve jeolojik yönler hakkında biraz bilgiye sahiptir. Tüneller genellikle bir ev sığınağının içinden kazılır, bu da operatörlere daha fazla gizlilik sağlar. Düşman ateşinden kaçan IŞİD militanları, genellikle yakınlardaki köylere sığınıyor ve oradaki sakinlere bir tünel inşa etmeleri için para ödüyor.

İlk inşa süreciyle ilgili mağara ins gibi bazı tehlikeler vardır. Bir tünelin yapımı sırasında işçilerin ölmesi yaygın bir durumdur. Mağara duvarları genellikle şiddetli bir yağmur fırtınasından sonra tünel inşaatına devam etmek için yeterince uzun süre beklememekten kaynaklanır. Sonuç olarak, genellikle manzarayı tehlikeye atan toprak erozyonu, işçileri yeraltında çökme sonucu mahsur kalma riskiyle karşı karşıya bırakır. Kayıplar, ironik bir şekilde Hamas'ın yeraltı inşaat sürecini doğaçlama yapmasına ve onu tamamen daha iyi anlamasına izin verdi. Buna karşılık Hamas, tünel sistemlerini elektrik, beton duvarlar ve tavanla donatmayı başardı ve iletişimi yürütebiliyor. Hamas, Gazze'ye beton kaçakçılığı yapmayı başardı ve bunu tünel sistemlerini güçlendirmek için kullandı. IŞİD ise daha az özellikli bir sisteme sahip, ancak yıllar içinde yeraltına saklanarak doğrudan hava saldırılarından nasıl kurtulacağını öğrendi. IŞİD'in tünellerini Gaz sahası konumlarının yakınlığına göre inşa etmesi muhtemeldir. IŞİD'in Suriye'ye yönelik son pusu saldırılarının çoğu Petrol ve Gaz sahalarının yakınında gerçekleşti. Petrol ve Gaz, militanların elektrik, lojistik ve iletişim kanallarını korumalarına izin verdiği için savaşın önemli unsurlarıdır.

Sağlığın birinci ve ikinci tarafları açısından şimdiye kadar topladıklarımıza bakarak, yerçekiminin kendisini yerleştirme sürecine başlayabiliriz. Güneş gibi elementler ve birinci tarafta oksijen ve ikinci tarafta karbon dioksit ile yerçekimini güvenli bir şekilde ikinci tarafa yerleştirebiliriz. Anti-yerçekimi de aynı şekilde birinci tarafa giderdi. Ayrıca 1. tarafa hava gücü, itme, itme gücü ekleyebiliriz, çünkü bunlar yerçekimine karşı kavramlardır. Yerçekiminin bu alçaltıcı yönü, yeryüzüne doğru bir nesneyle ilgili olduğu için, yerin üstünde olduğundan daha fazla karbondioksit olduğundan, ikinci taraftaki karbondioksit ile yerleşimini doğrular. Yeraltında da daha az oksijen var.

Bu nedenle, yer üstü ve yer altı ile ilgili zıt yöne bakarsak, yüzeyin altına ne kadar derine inilirse, yer altı bileşenleri üzerinde sahip olabileceği herhangi bir etki ile ilgili olarak tüm yüzey bileşenlerinin o kadar etkisiz hale geldiğini görürüz. Bu yön her iki şekilde de geçerlidir. Birinci veya ikinci taraftaki bir bileşenin sonunda karşı taraftaki bileşenleri yenebileceği ve onlara üstün gelebileceği fikrini benzer şekilde uygulamak için, birinden veya diğerinden daha fazlasının karşı tarafa bir tehdit oluşturacağını varsaymalıyız. Toprağa daha fazla nüfuz etme, yer üstündeki bileşenleri veya durumu mutlaka tehdit etmez veya tam tersi, yüzeyden daha yüksek bir yükseklik, yer altı bileşenlerini mutlaka tehdit etmez.

Herhangi bir yeraltı yapısı için en büyük tehdit şiddetli yağmurdur. Çoğu tünel çökmesinde, şiddetli yağmur genellikle ana nedendir. Jeolojik olarak konuşursak, yağmur etkileri genellikle toprağı şiddetli yağmur veya rüzgarın etkilerinden koruyan beton veya malç gibi şeyler tarafından caydırılır. Tünel çökmelerinde, yağmur suyu toprağa çarptıktan sonra, sonunda tüneli çevreleyen kayaya doğru sızarak erozyon yoluyla onu zayıflatır. Su, çatlaklara ve derzlere girerek sonunda kayaların kırılmasına ve parçalanmasına neden olur. Şu anda yağışın yer altı tünelleri için belki de en büyük tehdit olduğu varsayılabilir. Bu başlı başına bir istihbarat biçimidir, çünkü bu nedenle militanlar şiddetli yağmurlu günlerde yeraltına sığınmayacak veya inşa etmeyeceklerdir. Ayrıca, doğaçlama bir yol olarak, şehir sokakları gibi betonla oluşturulmuş yüzey yollarının hemen altına tünel yolları inşa etmeye başlayabilirler. Bu, şiddetli yağmurun tünel stabilitesi üzerindeki etkisini azaltacaktır. Bununla birlikte, orta doğuda ekilebilir arazi eksikliği ve uzun süreli kuraklıkların yaygınlığı, burada hala kesintisiz sürdürülebilir tünellerin inşasına izin vermektedir. Bu durum, yağışlı mevsimlere göre kurak mevsimlerde yeraltı yapılarının daha işlevsel veya daha kalabalık olacağı fikrini anlamamızı sağlar. Orta doğudaki militanların iklim faktörlerini önceden planlamış olmaları muhtemeldir.

Bu çatışma alanına yaklaşım, 'tünellerin ne için kullanıldığı' gibi faktörlerin dikkate alınması gerektiğinden, biraz ayrım gözetilerek uygulanmalıdır. Kaçakçılık amaçları, bir terörle mücadele arama ve imha operasyonunu garanti etmez, çünkü genellikle siviller çalıştırılır ve birçok durumda kargoyu alıp götürmeye zorlanır.

Tüneller her ikisi için de kullanılıyorsa buna göre ayrım yapmak çok daha zor. Askerlerin gerçek tünellere yaya olarak sızarak operasyonları oradan yürütmelerini öneren fikirler sunuldu. Bu fikrin zorlukları, sinyallerin genellikle yüzeyin altında daha zayıf veya devre dışı kalması ve bu da iyi iletişimi sürdürmeyi zorlaştırmasıdır. Diğer bir konu da, askerlerin uzun süreli yeraltı görevlerini yerine getirmek için gerekli oksijene sahip olup olmadığı sorunudur. Yüzeyin altında oksijen seviyeleri genellikle daha düşüktür, bu da askerleri riske atar ve görevi tehlikeye sokar. Askerlerin yoğun dumana maruz kalması durumunda karbon monoksit zehirlenmesi potansiyeli de vardır. Gaz maskesi ve diğer oksijen depolama ekipmanı, personeli böyle kapalı bir alanda karbon monoksit birikmesine karşı korumada etkisiz olacaktır. İdeal olarak, yer üstü radarında tünelleri tespit edip görüntüleyebilmek, personelin yer altı tahkimatına girmesi daha az gerekeceğinden, daha zekice bir karşı tünel stratejisi sağlar. Durumla yüzleşmeden önce operatörlerin yer altı yapısından çıkmasını bekleyebilirler. Bu, tünellere kimin girip çıktığını tam olarak ayırt etmeyi kolaylaştırır.

Cihat yanlılarının sınır ötesi tünel açma çalışmaları İsrail'in ulusal güvenliği için bir sorun olsa da, İsrail'in Gazze'deki militanlardan karşı karşıya kaldığı roket ateşi barajının altında kalıyor. Demir Kubbe, düşman roketlerine karşı koymada giderek daha etkili olurken, İsrail hala sivil kayıp olasılığı ve ayrıca savunmanın jeopolitik sonuçlarıyla karşı karşıya. Demir Kubbe jeopolitik açıdan bir muamma sunuyor. Hamas, Demir Kubbe savunması tarafından durdurulan sivillere roket atmanın, İsrail'in misilleme yapması ve bu süreçte istemeden Filistinli sivilleri öldürmesi durumunda daha sonra daha fazla gerekçeye izin verdiğini biliyor. Demir Kubbe'nin başarısı, uluslararası toplumun Gazze'deki militanların en sonunda önlerine çıkan roketleri sivillere ateşlediği gerçeğini çoğu zaman görmezden gelmesine neden oluyor. Bu durumda İsrail, düşman roketlerinin İsrailli sivilleri öldürmesine izin vermediği için itibar görmeli ve böylece İsrail'in Gazze'deki militanlara karşı savunmada daha fazla uluslararası destek toplamasına elverişli bir şekilde izin verecek bir ihtimali ortadan kaldırmalıdır. Gazze'deki militanlar, uluslararası sempatiye duyulan ihtiyacın farkına varmakta akıllılar ve hesapladıkları strateji, rezervlerini oluşturmak için gerekli yardımı ve İsrailli sivillere yönelik roket saldırılarını haklı çıkarmak için gereken uluslararası desteği sağladı. Jeopolitik yönler, İsrail'in Gazze topraklarındaki herhangi bir geziyi iptal etmesi yönünde ilerliyor ve aynı zamanda roket saldırılarına karşı kendilerini savunma yükü taşıyor ve bu terörist saldırıların İsrail'e yönelik militan saldırganlığın uluslararası görünümü üzerinde hiçbir etkisi yok. . Bu paradigma altında, gerçek terörizm, teröristlerin başarılı olduğu zamandır. Engellendiklerinde, terörizm girişiminin fail üzerinde hiçbir etkisi yoktur. İsrail, İsraillilerin roket ateşiyle öldürülmesine izin vererek gerekçe aramayacağından, bu faktör kesinlik uygulaması ve onu uygulamak için gereken teknoloji üzerinde daha fazla baskı oluşturuyor. Kendi topraklarına ve sivillere yönelik saldırılara izin vermek, tarih boyunca silahlı kuvvetlerin yaygın olarak kullandığı bir taktikti.

Belirli bir alandaki tüm yeraltı yapılarının konumunu radarda haritalama yeteneği, yeni teknolojiler açısından ideal senaryodur. Bu, personelin yapılara giren ve çıkanları en iyi şekilde ayırt etmesine izin verecektir. Ayrıca, tünellerdeki operasyonel amacı çevreleyen herhangi bir tehlikeyi etkisiz hale getirmede etkili bir yaklaşımı önceden planlamalarına da izin verecektir. Tünellerin varlığı gelecekte bir varlık olabileceğinden ve tünelleri yok etmek yerine sadece gözlem altında tutmak, olumsuz bir olayda ek bir savunma önlemi sağlayabileceğinden, bu etkisizleştirme yönü daha ideal bir yaklaşım olarak hizmet edebilir. Tüneller ayrıca daha sonra kullanılmak üzere veya jeolojik bir çalışma olarak yeniden güçlendirilebilir ve sürdürülebilir, bu da hem zamandan hem de paradan tasarruf sağlar.

Yukarıdaki yüzey yapıları, yer altı tünellerine bir miktar koruma sağlar. Beton ve Asfalt, şiddetli yağmurun toprak üzerindeki etkilerini azaltır ve normalde birçok yeraltı yapısının çökmesine neden olan bir faktör olan yüzeyin altındaki kaya erozyonu olasılığını önler. Bu, betonu bir yer altı tünelinin varlığını tespit etmede bir numaralı ilgi alanı haline getirir. İşçiler yağışın etkilerini anlıyorlarsa, muhtemelen yukarıdaki yüzey betonuna bir hizalamayı takip etmek için tüneller açarak doğaçlama yapmışlardır. Durum böyle değilse, o zaman sadece kuru mevsimlerde tünel inşa etmek veya tünellerde yaşamak ve yağışlı mevsimlerde oradaki operasyonları azaltmak için doğaçlama yaparlardı. Gazzeli militanlar tünellerini beton çevreyle güçlendiriyor, ancak (sürekli yük altında betonun başına gelen) akma nedeniyle beton yeraltında kolayca çökebilir. Yeraltı kayalarına ağır toprak ve yağmur sızması, kayaların kırılmasına ve çevredeki toprağı destekleme yeteneklerini kaybetmesine neden olur. Islak ağır toprak daha sonra yer altı tünellerine daha fazla baskı uygulayarak sonunda bunların çökmesine neden olur.

Diğer yerlere kıyasla Orta Doğu, kuraklığın yaygınlığı nedeniyle daha az tünel çökmesi riski sunuyor. Yeraltı tünelleri, düzenli olarak yağmur yağan tropik iklimlerde çok daha tehlikeli olacağından, yer üstü betonla hizalanmış yer altı tünellerinin inşasını çok daha zorunlu hale getirecektir. Kentsel alanlar için iyi bir beklenmedik durum, kazıcıların bir tünel inşa ederken beton yüzeylerin konumunu dikkate almaları durumunda olası algılamaya izin vererek, bir şehirde beton veya asfalt yüzeyler aracılığıyla farklı aralıklarla zeminin derinliklerine nüfuz eden çubukların kullanılması olacaktır. Kentsel alanlardaki asfalt yollar, militanların bu tür bir savaşa başvurması durumunda tünelciler için bir güvenlik yönü ve şehirler için bir güvenlik riski sağlar.

Hava gücü ve tünel tahkimatı ile ilgili olarak sağlığın 1. ve 2. taraflarına atıfta bulunurken, 2. taraftaki yerçekimi yanlısı yeraltı inşaatının doğrudan düşmanları olarak 1. tarafın itme ve yerçekimine karşı itme yönleri üzerinde kafa yorabiliriz. itme, yerçekimi kuvveti kırılmadan önce yüzeye basınç uygulanır. Bu basınç, yerçekimi kuvveti ile gittiği için 2. tarafa uygulanabilir. Yerçekimi kaldırma sırasında antagonize edildiğinden, sonraki etkileri 1. taraftaki itme ve itme kuvvetini tanımlamalıdır. Tünel çökmelerinde, ağır ıslak topraktan ve çevredeki kaya bozulmasından kaynaklanan basıncın nasıl birincil etkiye sahip olduğunu görüyoruz. Bu, 2. yan bileşenlerden kaynaklanan semptomların 2. yan bileşenlerin başka bir bileşeninin eklenmesiyle nasıl kötüleştirildiğine veya tam tersi, 1. yan bileşenlerden kaynaklanan semptomların 1. taraftaki diğer bileşenlerin eklenmesiyle daha kötü hale getirilmesine benzer. yer altı bileşenine karşı, toksik etki oluşturan benzer bir bileşenin uygulanması anlamına gelir. Bununla birlikte, bir tüneldeki boşluk, hava içerdiğinden ve onu çevreleyen yerçekimi basıncı - 2. tarafın bir bileşeni olarak - doğrudan antagonist görevi görebileceğinden, birinci tarafa uygulanabilir. Listemizi sıralarsak, bu şekilde görünmelidir.

Sağlığın birinci tarafı	Sağlığın ikinci tarafı
Hava gücü	Yeraltı yapısı
Tahrikin yukarı yönlü etkisi	Aşağı doğru itme basıncı
İtme	Aşağı doğru itme basıncı
Yerçekimine-karşı	yer çekimi
Uçan	kazma eylemi
Bir tüneldeki boşluk	çevreleyen toprak

Dünya yüzeyinin altında bir tünel kazmanın aslında 1. taraftaki bir bileşenin 2. tarafa karşı uygulanması olduğu sonucuna varılabilir, çünkü oluşturulan boşluk yüzeyin üstünden oksijeni getirir. Tünel inşaatının kendisi, özellikle yatay olarak kazıldığında yerçekimi kuvvetlerine karşı bir eylemin sonucu haline gelir. Bu, kazı işleminin belirli bölümlerinin 1. tarafta olmasını gerektirecektir. Boşluk ne kadar büyükse, yüzey oksijeninin 1. tarafı bileşenine o kadar fazla katkıda bulunur. Buna bağlı olarak, içi boş zeminden gelen yerçekimi etkisi, çok yoğun zeminden çok daha azdır. Dünyanın yoğunluğu, yerçekimi karşıtı niyetleri antagonize eder. Yeraltında bir boşlukta bulunan birinin konumu, yerçekiminin kendisine zıt bir konumdadır, bu nedenle toprak daha yoğun hale geldiğinde, yeraltı tünelindeki yük artarak onu riske atar. Bununla, bir tünelin içindeki boşluğu 1. tarafa ve çevredeki toprağı 2. tarafa yerleştirebiliriz. Hava gücünün düşmanlığı tünel değil, tüneli çevreleyen yer altı toprağıdır. Bu nedenle, havadaki bir nesnenin, dünyanın daha yoğun bir bölümünün üzerine yerleştirildiğinde daha büyük bir yerçekimi kuvveti ile mücadele etmesi gerektiğini varsayabiliriz. Dünyanın belirli yerlerinde gezinirken kaybolan uçaklardan bahseden birçok mit ve efsane vardır. Bu bağlamda bile, uçağın aşırı derecede yoğun bir araziyle veya başka bir açıdan uçağı uzaya itebilecek aşırı derecede çukur bir zeminle karşılaşmış olabileceği varsayılabilir. Tabii ki, bu örnek aşırı bir senaryo üzerine sadece bir varsayımdır.

Arama ve yok etme işleminin anlamı, gerekli ayrım yapılmadan, ortaya çıkan herhangi bir güvenlik avantajını baltalayabilir. Arama, giriş ve etkisiz hale getirme önerisi, jeopolitik meseleler dikkate alındığında çok makul bir yaklaşım haline geliyor. Bu tür savaşlarda ayrımcılığın önemi küçümsenemez. Aslında, ABD tarafından Afrika ve Orta Doğu gibi yerlerde insansız hava araçlarının genellikle gelişigüzel kullanılması, militan saldırganlığa yol açtı ve adil taktikler ve daha fazla kesinlik için uluslararası bir aciliyeti besledi. Tünel inşaatlarının çoğu, tespit edilmekten kaçınmanın bir yolu olarak binanın içinden başlatıldığından, mevcut güvenlik aygıtı, dünyanın yer titreşimini algılayan sismik sensörler kurmak için çaba göstermeye başlayabilir. Bunlar, kentsel alanlarda trafik ışıklarının kurulmasından farklı olmayan çeşitli yerlere kurulabilir. Bu hem yabancı hem de yerli düzeyde çalışır. Sondajın titreşim etkisi yakındaki bir sensör tarafından algılanarak yetkililere bölgedeki olası tünel inşaatı konusunda uyarıda bulunulabilir. Bu yaklaşım, halihazırda inşa edilmiş olan tünellerin yerini belirlemeye çalışmaktan daha uygun olabilecek ilk tünel yapım sürecini belirlemeye çalışır. Normalde bunları inşa etmek için matkaplar kullanıldığından, gerçek sondaj sahasına girerken müteakip yer titreşimlerini algılamak günümüz teknolojisiyle kolayca elde edilir. Bu özellik böyle bir programa dahil edilmeden, teknolojinin gelişmesi biraz zaman alabilen yeniliklerde zaman ve parayı riske atmaya çalışması durumunda büyük bir boşluk kalır. Eklenen süre, daha fazla yer altı tahkimatının inşası için fırsat sağlayacaktır, bu da ulusal güvenlik açısından elverişsiz bir olasılıktır. İlk olarak, ilk delme işleminden itibaren yer titreşimlerini tespit etmeye odaklanmak, yer altı ağlarının çoğalmasını önleyebilir. Militanlar bir tünelin içinden tüneller inşa ederek etrafından dolaşabilseler bile, bu stratejinin dikkate alınması gereken bir çevreleme yönü vardır. Bu argüman, şimdiki zamanda tünellerin varlığının henüz bir devrilme noktasına ulaşmadığı gerçeğiyle desteklenmektedir. Güvenlik aygıtının, mevcut tünel yapılarının ortadan kaldırılmasının aksine önleme sürecini başlatmak için yeterli zamanı vardır. Buradaki fikir, sondaj deliklerinden kaynaklanan yer titreşimlerini tespit etmek için çeşitli konumlarda sismik sensörlerin kullanılmasının, hâlihazırda çalışır durumdaki tünelleri tespit edip yerini tespit edecek bir teknoloji geliştirmeye çalışmaktan çok daha kolay olmasıdır. Ses bariyerleri sondajın gürültü etkisini teorik olarak azaltabilirken, bundan kaynaklanacak titreşim yönünü caydıramaz. Matkap kullanımından tespit edilen yer titreşim sinyalinin, belirli bir yakınlığa yerleştirilmiş bir cihazda görüntülenebileceğini varsaymak gerekir. Bu tür bir teknolojiyi kurmak, uygulamadan önce ileriyi düşünmeyi gerektirir.

Operasyonel tünellerin tespit edilmesine yardımcı olabilecek bir teknoloji, tünelin geliştirilmesi için daha fazla sondaj uygulanmadan tamamen çalışır durumda olduğu varsayılarak akustik sensörler olacaktır. Ayak sesleri, yerini belli edebilecek tek ses olabilirdi. Bununla birlikte, bunun geliştirilebilmesi için, kişinin kendi tünel inşaatını üstlenmesi ve sensöre göre konumu ile birlikte yüzeyin altındaki çeşitli derinliklerdeki ayak seslerini hesaba katan algoritmalar geliştirmesi gerekir. Proje, çeşitli derinliklerde ve ayak seslerinden uzaklıklara yerleştirilen sensörler ile birden fazla tünelin inşa edilmesini içerecektir. Her sensör, her derinlikte ve mesafedeki ayak sesini algılar. Daha sonra ayak sesi gürültüsünü tanımlayacak ve buna göre sensörden mesafeyi/konumu hesaba katacak algoritmalar geliştirilebilir. Bu, doğru algılamanın gürültü ayırma yönüne yardımcı olur ve kişinin tünelin tam konumunu belirlemesine izin verir. Gerçek zamanlı uygulama için bir mesafe metriği formüle edilmelidir. Birden fazla sensör uyarılırsa, algoritma veya mesafe metriği kişinin tünelin yolunu takip etmesine izin vermelidir.

Belirli bir ortamdaki diğer gürültüler arasında ayak sesi gürültüsünü yakalamak için akustik sensörlerin kullanımında zorluklar olsa da, yeraltında daha az arka plan gürültüsü olduğu varsayıldığında, akustik sensörlerin yeraltında kullanılması daha kolay bir ayrım işlemi sağlayacaktır. Bu teknolojinin sismik sensörlerle birlikte kullanılabilmesi mümkündür.

Bir tünel yapısının personel tarafından ihlali önemli sağlık tehlikeleri oluşturur. Biri sürekli yük altında tünelin çökme olasılığıdır. Bir çökme sırasında tünelde olma ihtimalini azaltmak, tünel çökmelerinin başlıca nedenlerinden biri olan yağış gibi iklim faktörlerini yakından takip etmekle mümkün olabilir. Şiddetli yağış zamanlarında tünel gezisinden kaçınmayı bir noktaya getirmek, hayatta kalma olasılığını artırır ve tünelde bulunurken çökme riskini azaltır. Diğer bir konu ise tünelde yangın çıkması durumunda karbon monoksit zehirlenmesi olasılığıdır. Koruyucu maskeler dumana karşı koruma sağlamaz. Etanol Buharı Soluma, karbon monoksite maruz kalmaya karşı bir miktar koruma sağlayabilir. Sıçanlarda yapılan bir çalışmada etanol zehirlenmesinin karbonmonoksit zehirlenmesine karşı koruyucu etkisi olduğu bulunmuştur. Bu fikir, yanıcı bir madde olan etanol ateşle herhangi bir temastan güvenli bir şekilde kapatılırsa yeraltında uygulanabilir. Yanıcı malzemelerin güçlü havalandırmanın olduğu alanlarda saklanması tavsiye edilir. Bununla birlikte, yeraltı yapıları genellikle bu konuda eksiktir. Tek geçici çözüm, operatörlerin sistemlerinde alkol varken yer altı tünellerine girmeleridir. Bunun dezavantajı, ciddi bir acil durumda alkolün muhakeme ve tepki süresinde azalmaya katkıda bulunacak olmasıdır. Bu, riskli bir görev sırasında herkesin içinde olması için ideal bir durum değildir, ancak iyi havalandırılmayan kapalı bir alanda karbon monoksit zehirlenmesine karşı alkolün koruyucu etkisinden güvenli bir şekilde yararlanmanın tek yolu budur. Bu aynı zamanda, tünellerde daha uzun süre kalma karşılığında bir miktar tepki süresinden ve muhakemeden vazgeçerek bir değiş tokuşun gerekli olabileceği fikrini sunar. Kesinlikle ihlal işlemi sırasında, solunum cihazlarına etanol buharları uygulanabilir. Bir geçici çözümün önemi, personelin yer altında çok daha uzun süre kalabilecek olmasından kaynaklanmaktadır. Sağlığın 1. ve 2. tarafına geri dönersek, alkolün oksijenin savunucusu ve anti-oksijen elementlerine karşı bir antagonist olduğunu onaylayarak, oksijen ve alkolün aynı tarafta yer aldığını zaten görürüz. Bu nedenle, alkolün ana maddesi olan etanolün neden karbon monoksit zehirlenmesine karşı koruma sağladığı mantıklıdır. Buna bağlı olarak, 1. tarafta bir kişiyi düşük oksijenli ortamlarda koruyabilecek başka faktörler olabilir.

Yeraltı operasyonlarının karşı karşıya olduğu bir başka zorluk da iletişim ekipmanının yeterliliğidir. Sinyaller genellikle dünya yüzeyinin altındaki çok derin yerlerde kaybolur. Tünel ile yüzey arasına gömülmüş kalın toprak katmanları, sinyal blokajındaki ana faktördür. Radyo sinyalleri, gerekli iletişimi engelleyen bu kalın katmanlara nüfuz etmekte zorlanırlar. Kentsel ortamlarda, radyo sinyalleri, alıcının kalın veya çoklu beton katmanlarının arkasında veya üzerinde konumlandığı alanlarda benzer engellerle karşılaşır. Gökdelenlerde, iletişimin daha yüksek platformlarda bulunan personele ulaşması için telsiz tekrarlayıcılar kurulmalıdır. Sinyal güçlendirme, tünel iletişiminde önemli bir unsurdur, ancak personel, bu sinyal güçlendiricilerin bulunmadığı yer altı yapılarıyla karşılaşabilir.

Ses hava, su ve birçok katı yapı boyunca yayılır. Bir kişi telsizle konuştuğunda, bu ses radyo dalgalarına veya sinyaline dönüştürülür ve antenle iletilir. Aynı kanalı kullanan bir telsiz, anteniyle bu iletimi alabilir ve sinyalden gelen sesi çözebilir. Yeraltı durumlarında, iletilen sinyal genellikle tünel ile yüzey arasındaki kalın toprak bariyeri tarafından engellenir. Yaratıcı bir geçici çözüm, sesin bir radyo sinyaline dönüştürülüp anten aracılığıyla iletilmeden önce bas veya titreşime dönüştürülmesinin bir yolunu bulmak olabilir. Buradaki hipotez, sinyalin nüfuz etme gücünün sesin nüfuz etme gücü ile doğrudan ilişkili olmasıdır. Bir örnek, sesin veya müziğin sesi artık duyulamazken bile kalın bir bariyerin ardından müziğin veya sesin basının nasıl duyulabildiğidir. Sinyalin iletilen dönüştürülmüş ses kısmı alıcı tarafından algılanamadığı için dönüştürülen bas kısmının algılanabileceği bir korelasyon olması gerekir. Bir bariyerin belli bir kalınlıktan sonra sesin duyulmadığı bir nokta olduğu gibi, bir bariyerin belli bir kalınlıktan sonra radyo sinyalinin alınamadığı bir nokta da olmalıdır. Sese bas uygulandığında, sesin kendisi, basın neden olduğu titreşim yoluyla ses engelleme bariyerinin ötesinde deşifre edilebilir. Radyo sinyaline dönüştürülen bu bas titreşiminin, tıpkı basın izin verdiği gibi, alıcının bas titreşim sinyalini normal bir ses sinyalinin sınırının ötesinde almasına izin verecek bir iletime izin vereceği varsayılabilir. sesin nüfuz edebileceği sınırın ötesinde deşifre edilecek ses.

Bazı kişiler bodrum katlarında, binalarda alımın bazı cihazlar için sorun olduğu bir alanda düz antenler kullanmanın olumlu sonuçlar verdiğini bildirmiştir. Bu bilgilere dayanarak, iletişim cihazlarına giderek daha ince antenler monte etmenin yer altı tünellerinden sinyal algılama üzerinde olumlu bir etkiye sahip olabileceği varsayılabilir. Antenleri bir PVC boruya monte etmek, sinyal alımını artırmak için kullanılan tipik bir yöntemdir. Bu faktörlerin tünel iletişim cihazlarına dahil edilmesi, nihai atılımlara yönelik bir miktar ilerleme sağlayabilir.

Günümüzde Ortadoğu, tünellerin kentsel savunmaya karşı ne kadar etkili olduğunun belki de en büyük örneğidir. 2013'ün sonlarından itibaren IŞİD, 2014'te Irak'a nihai ABD müdahalesinden ve 2015'te Rusya'nın Suriye'ye müdahalesinden önce Irak ve Suriye'yi kuşatma altına alıp geniş toprak alanlarını işgal edebildi. Irak'ta ABD ve Rus Hava Kuvvetleri tarafından yapılan sayısız hava bombardımanından sonra bile IŞİD, azalan sayılarına rağmen tünelleri kullanarak hayatta kalmayı başardı, hatta Suriye rejimi güçlerine karşı başarılı pusular düzenledi, böylece çatışmayı uzattı ve daha büyük bir savaş alanı disiplini için aciliyet yarattı. Dünyanın dört bir yanındaki silahlı kuvvetlerin çoğu tehdidi fark etti ve sorunla başa çıkmak için tavizler vermeye başladı. İsrail, düşman kuvvetlerinin yeraltı operasyonları tehdidiyle başa çıkma konusunda en büyük zorlukla karşı karşıya. Hizbullah ve Hamas, hem tünel savaşından yararlandı hem de birçok noktada İsrail topraklarına başarıyla sızdı. İsrail yanıt olarak savunmasını güçlendirdi ve yıllar boyunca bir dizi sınır ötesi tünelin yerini tespit etmek için teknolojiyi kullandı. Adam kaçırma, patlayıcı yerleştirme, rehine alma ve topyekun kuşatma tehlikeleri, yer altı tünellerinin etkin kullanımıyla ortaya çıkar. Batı'da birçok yeraltı yapısı inşa edildi, ancak çoğunlukla uyuşturucu kaçakçılığı ve göçmenlik amaçlı. Bir banka soygunu için inşa edilen en az bir tünel örneği, yoğun yağış nedeniyle çökerek başarısız oldu. Tünelin bazı kısımları muhtemelen topraktan oluşan yüzey arazisiyle aynı hizadadır. Yağmur yağdığında su toprağa nüfuz etti ve tüneli çevreleyen kayayı aşındırarak tünelin çökmesine neden oldu. Gelecekte, yoğun yağış nedeniyle çökme riskini azaltmak için yüzey beton alanlarıyla hizalanacak şekilde saldırı tünelleri inşa edilecek.

Şiddetli yağış konusu, tünel yapısının üzerindeki yüzey arazisini bilmenin önemini gün ışığına çıkarıyor. Beton veya malçla kaplı yüzey arazisi, toprak veya normal kirden oluşan yüzey arazisinden daha az yeraltı tünel stabilitesini tehlikeye atma riski altındadır. Beton ve malç, toprağa ve tüneli çevreleyen kayaya nüfuz edebilen su seviyesini sınırlar. Suya aşırı maruz kaldığında, kayalar kırılabilir ve tünelin çökmesine neden olabilir.

Sadece birçok saldırı tünelinin kaya saplamaları ile stabilize edilmeyeceğini varsayabiliriz, bu da tünelin çökme riskini azaltır. Kaya bulonları, stabiliteyi artırmak ve sürekli yükten dolayı çökmeyi önlemek için bir tünelin tavanına açılan basit uzun ankraj cıvatalarıdır.

Yeraltı personelinin, tünel konumlarının hemen üzerinde hizalanan yüzey arazisi tipini tespit etmesine olanak tanıyan teknoloji, tünel yapısının dengesiz bölgelerine ilişkin güvenlik protokollerine yardımcı olabilir. Toprak veya toprak arazi ile aynı hizadaki tünel alanlarının, çökme riskinin yüksek olduğu alanlar olacağını varsayıyoruz. Beton veya asfaltla kaplı yüzey arazisi ile aynı hizadaki tünel alanlarının çökme riski daha az olacaktır.

Daha az yağış, daha az tünel çökmesi riskiyle ilişkili olduğundan, odak alanları yağışın minimum olduğu bölgelere daraltılmalıdır. Bu faktöre ilişkin bilgi eksikliği, daha tropikal bölgelerde tünel projelerine girişenleri, doğaçlama yapmadıkları ve tünel stabilitesinde beton kaplı yüzey arazisi ile tünel hizalamasının önemini hesaba katmadıkları takdirde tehlikeye atabilir. Yine de, betonun aşındığını, ancak son derece yavaş olduğunu not etmek önemlidir. Aşınma belirtileri göstermeye başlaması için yağmura maruz kalması yüzlerce hatta binlerce yıl alabilir. Hamas'ın yer altı tünelleri için çimento kullanmasının bir nedeni bu olabilir. Ancak, yer altı beton tünelinin dışındaki çevredeki kaya erozyonu beton üzerindeki toplam yükü artırırsa yine de çökme olasılığı vardır. Artan sürekli yük, sürünme miktarını artırır ve tünelin genel kararlılığını tehlikeye atar.

Yeraltı yapıları inşa etme konusunda Orta Doğu'yu veya Meksika sınırını taklit etmek isteyenler, bu bölgelerde yağış olmamasının tünel inşaatı için önemli bir varlık olduğunu hesaba katmalıdır. Tropikal bölgelerde böyle bir çabaya girişmek daha fazla risk, zaman, ekipman, bilgi ve sabır gerektirecektir.

Tünellerin izlenmesine ilişkin en uygun fikir, bunların uydu görüntülerinden veya yüzey radarından ayırt edilip edilemeyeceğidir. Yeraltı tünellerine karşı en büyük doğal düşmanın şiddetli yağmur olduğundan daha önce bahsedilmişti. Araştırma sonucunda, yeraltı tünellerinin en büyük doğal teşhir edicisinin obruklar olduğu ortaya çıkıyor. Gözetlemenin görüntüleme aparatında düden varlığını tespit etmesinin bir yolu varsa, bu bir tünelin konumuna ilişkin istihbarata yol açabilir. Düdenler çok sayıda yer altı kazısının yerini ortaya çıkarmıştır. NASA tarafından düdenleri önceden görmek için kullanılan teknoloji, tünelleri radar sistemlerinden bulmak için kullanılan teknolojiyle ilişkilendirilebilir. 2014 yılında NASA, sinyalleri yerden sektiren ve uyduya dönen dalgaların fazındaki farklılıkları ölçen bir teknoloji kullandı. Zemin tabakası yüzey deformitesi, sonunda düdenin oluştuğu yere doğru yatay olarak hareket etti. Sonuç olarak, yatay yüzey deformasyonları düden oluşumunun önemli bir göstergesi haline gelir ve tünellerin uzaktan tespit edilmesini sağlar.

Kaynakça

Lökositoz: Klinik Değerlendirmenin Temelleri, NEIL ABRAMSON, MD ve BECKY MELTON, MD, Baptist Regional Cancer Institute, Jacksonville, Florida Am Fam Physician. 2000 Kasım 1;62(9):2053-2060.

Instituto Gulbenkian de Science. "Gizem çözüldü: Orak hemoglobin sıtmaya karşı nasıl korur." Günlük Bilim. ScienceDaily, 29 Nisan 2011. <www.sciencedaily.com/releases/2011/04/110428123931.htm

Gatto I, Biagioni E, Coloretti I ve ark. COVID-19 kritik hastalarda sitomegalovirüs kan reaktivasyonu: risk faktörleri ve mortalite üzerindeki etkisi. Yoğun Bakım Med. 2022;48(6):706-713. doi:10.1007/s00134-022-06716-y

Mehdi Nouraie, Sergei Nekhai, Victor R Gordeuk. Orak hücre hastalığı, ABD hastane taburcu kayıtlarında azalmış HIV, ancak daha yüksek HBV ve HCV komorbiditeleri ile ilişkilidir: kesitsel bir çalışma. Cinsel Yolla Bulaşan Enfeksiyonlar. 2012; 88: 528-533.

Kaynak: https://sahlgrenska.gu.se/english/research/news-events/news-article//antioxidants-in-the-diet-can-worsen-cancer. cid1201629

Kaynak: Wu QJ, Xiang YB, Yang G, Li HL, Lan Q, Gao YT, et al. Sigara içmeyen kadınlarda E vitamini alımı ve akciğer kanseri riski: Şangay Kadın Sağlığı Çalışmasından bir rapor. Int J Kanser. 2015;136:610-7. https://doi.org/10.1002/ijc.29016.

Kaynak: California Ann Brunson, Theresa HM Keegan, Heejung Bang, Anjlee Mahajan, Susan Paulukonis, Ted Wun Blood'daki orak hücre hastalığı hastalarında artan lösemi riski. 28 Eylül 2017; 130(13): 1597-1599. 22 Ağustos 2017 tarihinde çevrimiçi olarak önceden yayınlandı. doi: 10.1182/blood-2017-05-783233 PMCID: PMC5620417.

Kaynak: Orak hücre hastalığı olan hastalarda bireysel malign neoplazma riski: İngiliz ulusal kayıt bağlantı çalışması. Seminog 00, Ogunlaja OI, Yeates D, Goldacre MJ JR Soc Med. 2016 Ağustos; 109(8):3039.

Kaynak: Ecole Polytechnique Federale de Lozan. "A Vitamini ile kolon kanseri tedavisi." Günlük Bilim. ScienceDaily, 14 Aralık 2015. < www.sciencedaily.com/releases/2015/12/151214130400.htm>.

Dantelli ME, Wellenius GA, Sumner AE ve ark. Afrikalı Amerikalılarda Orak Hücre Özelliğinin Hemoglobin Ale ile İlişkisi. JAMA. 2017;317(5):507-515. doi:10.1001/jama.2016.21035

Uluslararası Akciğer Kanseri Çalışmaları Derneği. "Diyabetli akciğer kanseri hastaları uzun süreli sağkalım gösteriyor." Günlük Bilim. ScienceDaily, 18 Ekim 2011. < www.sciencedaily.com/releases/2011/10/111017092235.htm>.

" -https://www.ascopost.com/News/59006.

Ullah H, Akhtar M, Hussain F.. Journal of Tumor 2015; 4(1): 354-358 Şu adresten erişilebilir: URL: http://www.ghrnet.org/index.php/jt/article/view/1340.

https://bmccardiovascdisord.biomedcentral.com/articles/10.11.86/ s12872-015-0047-8

Gabrielli M, Franza L, Bungaro MC, Cunzo TD, Esperide A, et al. (2020) Covid-19 ile İlişkili Akut Solunum Sıkıntısı Sendromu olan bir hastada duodenal kanama. Arch Gerontol Geriatr Res 5(1): 036-039. DOI: 10.17352/aggr.000024

Sanku K, Siddiqui A, Paul V ve ark. (15 Mart 2021) COVID-19 Hastasında Alışılmadık Bir Gastrointestinal Kanama Olgusu. Tedavi 13(3): e13901. doi:10.7759/cureus.13901

Chen T, Yang Q, Duan H. Yüksek riskli predispozan faktörlere sahip ciddi bir koronavirüs hastalığı 2019 hastası, masif gastrointestinal kanamadan öldü: bir vaka raporu. BMC Gastroenterol. 2020;20(1):318. 29 Eylül 2020 tarihinde yayınlandı. doi:10.1186/s12876-020-01458-x

Kaynak: Harvard Üniversitesi. "Basit Test Kalp Krizi Riskini Tahmin Ediyor: Beyaz Kan Hücreleri Yeni Bir Alarm Sesi Veriyor." Günlük Bilim. ScienceDaily, 25 Mart 2005. < www.sciencedaily.com/releases/2005/ 03/ 050323134019.htm>.

Baden, MY, Imagawa, A., Iwahashi, H. ve ark. Fulminan tip 1 diabetes mellitus başlangıcında ani ölüm ve kalp durması için risk faktörleri. Diabetol Int 7, 281–288 (2016). https://doi.org/10.1007/s13340-015-0247-6

Kaynak: Judith A. Whitworth, Beyaz kan hücresi sayımı ve olay hipertansiyonu arasındaki ilişki, American Journal of Hypertension,

Cilt 17, Sayı 9, Eylül 2004, Sayfa 861,
https://doi.org/10.1016/j.amjhyper.2004.05. 021.

Zhang T, Jiang Y, Zhang S ve ark. Çince'de homosistein ve iskemik
inme alt tipleri arasındaki ilişki: Bir meta-analiz. Tıp (Baltimore).
2020;99(12):e19467. doi:10.1097/MD.0000000000019467

Rongioletti M, Baldassini M, Papa F, Capoluongo E, Rocca B, Cristofaro
RD, Salvati G, Larciprete G, Stroppolo A, Angelucci PA, Cirese E,
Ameglio F. Homosisteinemi, trombosit sayısı ile ters ilişkilidir ve sE-
ile doğrudan ilişkilidir ve C677T metilentetrahidrofolat redüktaz için
homozigot dişilerde sP-selektin seviyeleri. trombositler. 2005 Mayıs-
Haziran;16(3-4):185-90. doi: 10.1080/09537100400020187. PMID:
16011963.

Artmış total homosistein, mikrovasküler yaralanma bölgesinde artan
trombosit aktivasyonu ile ilişkilidir: folik asit uygulamasının etkileri
A. UNDAS, E. STĘPIEŃ, D. PLICNER, L. ZIELINSKI, W. TRACZ
İlk yayın tarihi: 26 Şubat 2007 https://doi.org/10.1111/j.1538-
7836.2007.02459.x

B12 Vitamini ve/veya Folat Eksikliği, Makro Trombositopeninin Bir
Nedenidir Anupama Jaggia ve Adrian Northern

Seyoum M, Enawgaw B, Melku M. İnsan kan trombositleri ve
virüsleri: savunma mekanizması ve viral patojenlerin
uzaklaştırılmasındaki rolü. Tromb J. 2018;16:16. 17 Temmuz 2018
tarihinde yayınlandı. doi:10.1186/s12959-018-0170-8

Alkol tüketiminin akyuvar sayımı ile ilişkisi: Japon erkek ofis
çalışanları üzerinde yapılan bir çalışma N. Nakanishi, H. Yoshida, M.
Okamoto, Y. Matsuo, K. Suzuki, K. Tatara
https:// /doi.org/10.1046/j.1365-2796.2003.01112.x

(Fiziksel stres koşulları altındaki seçkin futbolcularda kafein
takviyesinin hematolojik ve biyokimyasal değişkenler üzerindeki
etkisi Adriana Bassini-Cameron, Eric Sweet, Altamiro Bottino,
Christina Bittar, Carlos Veiga ve Luiz-Claudio Cameron
doi:10.1136/bjsm.2007.035147).

Alkolizmde hiperdopaminerjik durum Natalie Hirth, Marcus W.
Meinhardt, Hamid R. Noori, Humberto Salgado, Oswaldo Torres
Ramirez, Stefanie Uhrig, Laura Broccoli, Valentina Vengeliene, Martin

Roflmanith, Stephanie Perreau-Lenz, Georg Kohr, Wolfgang H. Sommer, Rainer Spanagel, Anita C. Hansson Ulusal Bilimler Akademisi Bildiriler Kitabı Şubat 2016, 201506012; DOI: 10.1073/pnas.1506012113.

Kaynak: Biraz Viski İçmek Aslında Soğuk algınlığı Belirtilerini Hafifletmeye Yardımcı Olabilir - HuffPost'tan Kate Bratskier tarafından.

Kaynak: WebMD Medical Reference 10 Ekim 2017'de James Beckerman, MD, FACC tarafından İncelendi.

Örnek: Alışılmış kahve tüketimi ve kan basıncı: epidemiyolojik bir bakış açısı. Geleijnse JM1. PMID:19183744 PMCID:PMC2605331 DOI: 10.2147/vhrm.s3055.

Çay ve Kahveden Alınan Kafein Tansiyonu Düşürüyor: Araştırmacılar Günde 4 Bardağın İşe Yaradığını Söyledi Yazan: www.medicaldaily.com'dan Samantha Olsen.
"Çocukluk çağında kanserden kurtulanlarda antikanser tedavisinin neden olduğu metabolik sendrom" Hee Won Chueh, MD, PhD Jae Ho Yoo, MD, PhD Ann Pediatr Endocrinol Metab. 2017 Haziran; 22(2): 82-89.

LDL-C kardiyovasküler hastalığa neden olmaz: güncel literatürün kapsamlı bir incelemesi Uffe Ravnskov, Michel de Lorgeril, David M Diamond, Rokuro Hama, Tomohito Hamazaki, Bjorn Hammarskjold, Niamh Hynes, Malcolm Kendrick, Peter H Langsjoen, Luca Mascitelli, Kilmer S Mccully, Harumi Okuyama ORCID Icon, Paul J Rosch, Tore Schersten, Sherif Sultan & Ralf Sundberg Çevrimiçi olarak yayınlandı: 11 Ekim 2018.

Amerikan Kardiyoloji Koleji. "Düşük LDL kolesterol, kanser riski ile ilişkilidir." Günlük Bilim. ScienceDaily, 26 Mart 2012. < www.sciencedaily.com/releases/2012/03/120326113713.htm>.

Setor K Kunutsor, Samuel Seidu, Kamlesh Khunti. Statinler ve venöz tromboembolizmin birincil önlenmesi: sistematik bir gözden geçirme ve meta-analiz. Lancet Hematoloji, 2017; DOI: 10.1016/S2352-3026(16)30184-3.

https://www.henryford.com/news/2020/07/hidro-tedavi-çalışması

https://www.webmd.com/lung/news/20200827/blood-thinnersmay-increase-covid-survival-rates

https://www.fiercebiotech.com/research/how-covid-19-could-be-crippled-by-age-old-blood-thinner

https://www.reuters.com/article/us-health-coronavirus-remdesivir/gileadfda-could-expand-remdesivir-use-despite-mixed-dataidUSKBN25H2CT

Nagy IZ, Lustyik G, Nagy VZ, Zarándi B, Bertoni-Freddari C. İnsan kanser hücrelerinde hücre içi Na+:K+ oranları, enerji dağıtıcı x-ışını mikroanalizi ile ortaya konduğu şekliyle. J Hücre Biol. 1981;90(3):769-777. doi:10.1083/jcb.90.3.769

Mahmud R, Rahman MM, Alam I, Ahmed KGU, Kabir AKMH, Sayeed SKJB, Rassel MA, Monayem FB, Islam MS, Islam MM, Barshan AD, Hoque MM, Mallik MU, Yusuf MA, Hossain MZ. COVID-19 semptomlarını tedavi etmek için doksisiklin ile kombinasyon halinde ivermektin: randomize bir çalışma. J Uluslararası Med Res. 2021 Mayıs;49(5):3000605211013550. doi: 10.1177/03000605211013550. PMID: 33983065; PMCID: PMC8127799.

Krolewiecki A, Lifschitz A, Moragas M, Travacio M, Valentini R, Alonso DF, Solari R, Tinelli MA, Cimino RO, Álvarez L, Fleitas PE, Ceballos L, Golemba M, Fernández F, Fernández de Oliveira D, Astudillo G, Baeck I, Farina J, Cardama GA, Mangano A, Spitzer E, Gold S, Lanusse C. COVID-19'lu yetişkinlerde yüksek doz ivermektinin antiviral etkisi: Kavram kanıtı randomize bir çalışma. Klinik Tıp. 2021 Haziran 18;37:100959. doi: 10.1016/j.eclinm.2021.100959. Erratum: EClinicalMedicine. 2021 Eylül;39:101119. PMID: 34189446; PMCID: PMC8225706.

Şiddetli olmayan COVID-19 hastalarında ivermektin ile erken tedavinin viral yük, semptomlar ve hümoral yanıt üzerindeki etkisi: Pilot, çift kör, plasebo kontrollü, randomize bir klinik çalışma Carlos Chaccour
Aina Casellas Andrés Blanco-Di Matteo Iñigo Pineda Alejandro Fernandez-Montero Paula Ruiz-Castillo Mary-Ann Richardson Mariano Rodríguez-Mateos Carlota Jordán-Iborra Joe Brew Francisco Carmona-Torre Miriam Giráldez Ester Laso Juan C. Gabaldón-Figueira Carlota Dobaño Gemma Moncunill José R. Yuste Jose L. Del

Pozo N.Regina Rabinovich Verena Schöning Felix Hammann Gabriel Reina Belen Sadaba Mirian Fernández-Alonso Açık Erişim Yayın Tarihi:19 Ocak 2021 DOI:https://doi.org/10.1016/j.eclinm.2020.100720

Borm CDJM, Smilowska K, de Vries NM, Bloem BR, Theelen T. Nasıl yaparım: Parkinson Hastalığında Nöro-Oftalmolojik Değerlendirme. J Parkinson Dis. 2019;9(2):427-435. doi:10.3233/JPD-181523

1.Lide, David R., editör. CRC Kimya ve Fizik El Kitabı, 88. baskı. Boca Raton, Florida: Taylor & Francis Grubu, 2008.
2.Yaws, Carl L. Yaws'ın Hidrokarbonlar ve Kimyasallar İçin Fiziksel Özellikler El Kitabı. Houston, Teksas: Körfez Yayıncılık Şirketi, 2005.
3. "Flor." Chemicool Periyodik Tablo. Chemicool.com. 16 Ekim 2012. Web. 10/14/ 2020
<https:// / www.chemicool.com/ elements/ florine.html>.

Jansson B. Potasyum, sodyum ve kanser: bir inceleme. J Environ Pathol Toxicol Oncol. 1996;15(2-4):65-73. PMID: 9216787

https://ccr.cancer.gov/news/article/high-levels-of-potassium-inside-tumors-suppressimmune Activity#:~:text=Potasyum%20serbest bırakıldı %20from%20dead%20tümör,tümörler%20vücudun %20savunmasını %20kaçınır.

New York Bilimler Akademisi (2019). Tiamin eksikliği bozuklukları için ulusal kontrol ve önleme programları: Teknik Referans Materyalleri. New York.

Güneydoğu Asya'dan yetişkinlerde tiamin eksikliği ve sıtma Dr S Krishna, DPhil/ AM Taylor, PhD/ W Supanaranond, MDS/ Pukrittayakamee, Dphil/ F ter Kuile, PhD/ KM Tawfiq PAH/ Holloway, PhD/ NJ White, FRCP Yayın Tarihi: Şubat 13, 1999 DOI:https://doi.org/10.1016/S0140-6736(98)06316-8

Kim J, Lee JJ, Kim J, Gardner D, Beachy PA. Arsenik, siliyer birikimi önleyerek ve Gli2 transkripsiyonel efektörünün stabilitesini azaltarak Kirpi yolunu antagonize eder. Proc Natl Acad Sci US A. 2010 Temmuz 27;107(30):13432-7. doi: 10.1073/pnas.1006822107. Epub 2010 12 Temmuz. PMID: 20624968; PMCID: PMC2922148.

Borio L, Frank D, Mani V ve ark. Biyoterörizme Bağlı İnhalasyon Şarbonuna Bağlı Ölüm: 2 Hasta Raporu. JAMA. 2001;286(20):2554–2559. doi:10.1001/jama.286.20.2554

Jeremy Sobel, Botulism, Clinical Infectious Diseases, Cilt 41, Sayı 8, 15 Ekim 2005, Sayfa 1167–1173, https://doi.org/10.1086/ 444507

https://www.health.harvard.edu/a_to_z/plague-yersinia-pestis-a-to-z

Kıyamet Fabrikası: Plütonyum ve Atom Çağının Oluşumu Steve Olson tarafından

https://medicine.iu.edu/news/2020/04/Types-of-vitamin-Econsumed-by-children-linked-to-lung-function

https://www.cdc.gov/mmwr/volumes/68/wr/mm6847e1.htm

https://www.gavi.org/vaccineswork/covid-19-vaccine-race

https://en.wikipedia.org/wiki/Pfizer%E2%80%93BioNTech_COVID-19_vaccine

https://www.gavi.org/vaccineswork/there-are-four-types-covid19-vaccines-heres-how-they-work

https://pubmed.ncbi.nlm.nih.gov/9875229/

https://journals.plos.org/plosone/article?id=10.1371/ journal.pone.0217509

Hakamifard A, Soltani R, Maghsoudi A, Rismanbaf A, Aalinezhad M, Tarrahi MJ, Mashayekhbakhsh S, Dolatshahi K. COVID-19 pnömonisi olan hastalarda E Vitamini ve C Vitamininin etkisi; randomize kontrollü bir klinik çalışma. İmmünopatol Persa. 2021;7(2):e0x. DOI:10.34172/ipp.2021.xx

https://www.cdc.gov/vaccines/covid-19/health-departments/ breakthrough-cases.html
GLUT1'in tümörlerde ifadesi, kanser hücresinin hayatta kalmasını destekler
https://cancerres.aacrjournals.org/content/65/9_Supplement/ 531.4

(Diyabetik hastalarda önemli ölçüde daha yüksek MPV bulundu.)
https://www.ncbi.nlm.nih.gov/pmc/articles/PMC3425267/

(Diyabet, retina ve mikrodamarlarında GLUT1 ekspresyonunu azaltır, ancak serebral korteks veya mikrodamarlarında azaltmaz)
https://pubmed.ncbi.nlm.nih.gov/10866055/

(Rektum kanserinde tümör ilerlemesinin olası bir biyolojik belirteci olarak ortalama trombosit hacmi)
https://pubmed.ncbi.nlm.nih.gov/27802192/

http://www.ijpab.com/form/2017%20Volume%205,%20issue%206/IJPAB-2017-5-6-208-214.pdf

https://www.webmd.com/heart-disease/guide/homocysteinerisk

https://www.ajournals.org/doi/pdf/10.1161/01.CIR.0000165142.37711.E7

MPV-B12 korelasyonu
https://jag.journalagent.com/actamedica/pdfs/ACTAMED-43434-ORİJİNAL_ARTICLE-AKTAS.pdf

Homosistein hastane pnömonisini öngörür)
https://pubmed.ncbi.nlm.nih.gov/33319686/

Akut sitomegalovirüs enfeksiyonu olan immünkompetan bir hastada pulmoner emboli ile komplike olan miyoperikardit: Bir olgu sunumu
https://www.ncbi.nlm.nih.gov/pmc/articles/PMC3999874/

https://todaysveterinarypractice.com/todays-technicianpediatric-wellness-care-vaccine-protocols-parasitemanagement-zoonotic-disease-prevention/

https://www.aap.org/en-us/Documents/bağışıklama_overwhelm.pdf

https://www.cdc.gov/coronavirus/2019-ncov/vaccines/secondshot.html

https://academic.oup.com/cid/article/40/5/683/364547

https://academic.oup.com/ofid/article/5/10/ofy262/5139648
(CMV duyarlılığı)

https://academic.oup.com/emph/article/9/1/83/6128681

Yoğun immünsüpresyon, covid-19 ile ilişkili sitokin fırtınası sendromunda ölümleri azaltır, çalışma bulguları
BMJ 2020; 370 doi: https://doi.org/10.1136/bmj.m2935 (22 Temmuz 2020'de yayınlandı) https://www.bmj.com/content/370/bmj.m2935

Şiddetli Covid-19 Pnömonisi Olan Hastanede Yatan Hastalarda Tocilizumab
Ivan O. Rosas, MD, Norbert Bräu, MD, Michael Waters, MD, Ronaldo C. Go, MD, Bradley D. Hunter, MD, Sanjay Bhagani, MD, Daniel Skiest, MD, Mariam S. Aziz, MD, Nichola Cooper , MD, Ivor S. Douglas, MD, Sinisa Savic, Ph.D., Taryn Youngstein, MD, et al.
https://www.nejm.org/doi/full/10.1056/NEJMoa2028700

https://knowablemagazine.org/article/health-disease/2017/norovirüs-mükemmel-patojen

https://arstechnica.com/science/2018/04/weve-found-the-cellsnorovirus-targets-we-just-dont-know-what-they-do/

Roth AN, Karst SM. İmmün antagonizmanın norovirüs mekanizmaları. Curr Opin Virol. 2016;16:24-30. doi:10.1016/j.coviro.2015.11.005

Holm CK, Jensen SB, Jakobsen MR ve ark. Adaptör STING'e bağlı olarak doğuştan gelen bağışıklığın tetikleyicisi olarak virüs-hücre füzyonu. Nat İmmünol. 2012;13(8):737-743. 17 Haziran 2012 tarihinde yayınlandı. doi:10.1038/ni.2350

https://www.nature.com/articles/s41577-021-00526-x

Tip I İnterferon Tarafından Sitomegalovirüs Genomlarının Tersinir Susturulması Virüs Gecikmesini Yönetir Franziska Dağ,Lars Dölken,Julia Holzki,Anja Drabig,Adrien Weingärtner,Johannes Schwerk,Stefan Lienenklaus,Ianina Conte,Robert Geffers,Colin Davenport,Ulfert Rand,Mario Köster,Siegfried Weiß , Yayın tarihi: 20 Şubat 2014
https://doi.org/10.1371/journal.ppat.1003962

Holm CK, Jensen SB, Jakobsen MR ve ark. Adaptör STING'e bağlı olarak doğuştan gelen bağışıklığın tetikleyicisi olarak virüs-hücre füzyonu. Nat İmmünol. 2012;13(8):737-743. 17 Haziran 2012 tarihinde yayınlandı. doi:10.1038/ni.2350

https://www.nature.com/articles/s41577-021-00526-x

https://journals.plos.org/plospathogens/article?id=10.1371/journal.ppat.1003962

https://www.hindustantimes.com/india-news/first-phase-trialof-covaxin-india-s-covid-19-vaccine-starts-on-375-people-report/story-B6PjvEIG802stUjuuYXxGJ.html

https://www.pennmedicine.org/news/news-releases/2017/ekim/norovirüs-nadir-bağırsak-hücrelerini-saklayarak-bağışıklık sisteminden-kaçıyor

https://academic.oup.com/emph/article/9/1/83/6128681

https://www.bmj.com/content/370/bmj.m2935

https://www.nejm.org/doi/full/10.1056/NEJMoa2028700

https://knowablemagazine.org/article/health-disease/2017/norovirüs-mükemmel-patojen

https://arstechnica.com/science/2018/04/weve-found-the-cellsnorovirus-targets-we-just-dont-know-what-they-do/

Klein JR, Raulet DH, Pasternack MS, Bevan MJ. Sitotoksik T lenfositleri, antijen veya mitojene yanıt olarak immün interferon üretir. J Uzm Med. 1982 Nisan 1;155(4):1198-203. doi: 10.1084/jem.155.4.1198. PMID: 6174673; PMCID: PMC2186637.

https://portal.ct.gov/vaccine-portal/Vaccine-Knowledge-Base/Articles/mRNA-vs-Viral-Vector?language=en_US

Changotra H, Jia Y, Moore TN, Liu G, Kahan SM, Sosnovtsev SV, Karst SM. Tip I ve tip II interferonlar, murin norovirüs proteinlerinin translasyonunu inhibe eder. J Virol. 2009 Haziran;83(11):5683-92. doi: 10.1128/JVI.00231-09. Epub 2009 18 Mart. PMID: 19297466; PMCID: PMC2681988.

atılım covid
10
hıyarcıklı
63, 64, 66
hıyarcıklı veba
63, 64, 66

C

kafein
4, 43–47, 49, 53, 58, 61, 64, 66
kalsiyum
37, 43–47, 49, 53, 58, 61, 64, 66
Kaliforniya
23
kanser
18, 19, 23–28, 31, 36, 37, 39, 41–43,
46–49, 53, 55–59, 61, 64, 66, 69
kanserojen
55
kardiyak
2, 3, 35–37, 43, 46–50, 53, 58, 61,
64, 66
kalp durması
35, 50
kardiyak ölüm
2, 3
kardiyak olay
48
kalp problemleri
35
kardiyojenik
35–37, 43, 46, 47, 49, 53, 58, 61, 64,
66
karoten
24–28, 31, 36, 37, 43, 46, 47, 49, 53,
58, 61, 64, 66
havuçlar
24, 25
HKM
2, 3, 5, 8, 18, 19, 40, 59
Cedars-Sina
3

hücre
9–11, 14, 15, 18–28, 31, 34–37, 39,
43–47, 49, 53, 55, 58–61, 64–66, 68
hücresel
9, 10, 15
hücresel makine
9, 15
Kimyasallar
65
suçiçeği
6
Çin
1, 17, 38
kolesterol
35, 37, 38, 46–49, 53, 58, 61, 64, 66
Sigara
23
iklim
76, 82
pıhtılar
2–6, 13, 29, 31, 32, 40, 42, 48, 49, 51
pıhtılaşma
5, 13, 32, 41, 46, 48, 55, 59
CMV
1, 3, 4, 6, 10, 11, 28, 40
cmv yeniden etkinleştirme
1, 3, 4, 6, 11, 28, 40
pıhtılaşma
28
Kahve
45, 56
yıkılmak
75, 78, 79, 82, 84, 85
çöker
76, 79, 82, 85
kolon
24, 25, 27
komünistler
17
komplikasyonlar
3, 4, 11, 30, 41, 57
komplo
2, 3

E

ebola
11, 12, 18, 19, 21, 22, 45, 46, 59, 60,
62, 63
Ebola aşaması
28, 31, 36, 37, 43, 46, 47, 49, 53, 58,
61, 64, 66
etki
1, 32
elementler
65, 69–72, 75, 83
emboliler
49
Endokrinoloji
48
enzimler
9, 53, 58, 61, 64, 66
etanol
82, 83
EVALI
33, 34
maruziyet
3, 7, 82

F

en sol
3
aşırı sağ
3
ölümcül yan etkiler
2
hidroksiklorokin   ile   ilgili
ölümcül vakalar
50
ölümcül kalp hastalığı
34
tükenmişlik
1, 4, 15, 20, 32–34, 38, 54
FDA
54

fekal-oral
14
dışkı
44
fisyon
69–72
Grip benzeri
50, 52, 68
grip benzeri hastalık
50, 68
grip benzeri hastalıklar
52
folat
41
gıda kaynaklı
62
yabancı patojen
7, 9, 11, 15
mantar
8
füzyon
9, 10

G

gama-tokoferol
33, 34
gastrointestinal kanama
30
Sindirim sistemi kanaması
29–32
gastrointestinal komplikasyon
31
gastrointestinal hastalıklar
14
mide-bağırsak rahatsızlığı
14
gastrointestinal inflamasyon
14
gastrointestinal sorunlar
19
gastrointestinal problemler
18, 19